Lessing | Emilia Galotti

Gotthold Ephraim Lessing
Emilia Galotti

Ein Trauerspiel in fünf Aufzügen

Studienausgabe

Herausgegeben von
Elke Bauer und Bodo Plachta

Reclam

RECLAMS UNIVERSAL-BIBLIOTHEK Nr. 19262
Alle Rechte vorbehalten
© 2014 Philipp Reclam jun. GmbH & Co. KG, Stuttgart
Gestaltung: Cornelia Feyll, Friedrich Forssman
Gesamtherstellung: Reclam, Ditzingen. Printed in Germany 2014
RECLAM, UNIVERSAL-BIBLIOTHEK und
RECLAMS UNIVERSAL-BIBLIOTHEK sind eingetragene Marken
der Philipp Reclam jun. GmbH & Co. KG, Stuttgart
ISBN 978-3-15-019262-7

Auch als E-Book erhältlich

www.reclam.de

Emilia Galotti.
Ein Trauerspiel in fünf Aufzügen.

Personen.

EMILIA GALOTTI.

ODOARDO und
CLAUDIA } GALOTTI. Aeltern der Emilia.

HETTORE GONZAGA. Prinz von Guastalla.

MARINELLI. Kammerherr des Prinzen.

CAMILLO ROTA. Einer von des Prinzen Räthen.

CONTI. Maler.

GRAF APPIANI.

GRÄFINN ORSINA.

ANGELO, und einige Bediente. |

Erster Aufzug.

(Die Scene, ein Kabinett des Prinzen.)

Erster Auftritt.

DER PRINZ, *an einem Arbeitstische, voller Briefschaften und Papiere, deren einige er durchläuft.*

Klagen, nichts als Klagen! Bittschriften, nichts als Bittschriften! – Die traurigen Geschäffte; und man beneidet uns noch! – Das glaub' ich; wenn wir allen helfen könnten: dann wären wir zu beneiden. – Emilia? *(indem er noch eine von den Bittschriften aufschlägt, und nach dem unterschriebenen Namen sieht.)* Eine Emilia? – Aber eine Emilia Bruneschi – nicht Galotti. Nicht | Emilia Galotti! – Was will sie, diese Emilia Bruneschi? *(er lieset)* Viel gefodert; sehr viel. – Doch sie heißt Emilia. Gewährt! *(er unterschreibt und klingelt; worauf ein Kammerdiener hereintritt.)* Es ist wohl noch keiner von den Räthen in dem Vorzimmer?

DER KAMMERDIENER. Nein.

DER PRINZ. Ich habe zu früh Tag gemacht. – Der Morgen ist so schön. Ich will ausfahren. Marchese Marinelli soll mich begleiten. Laßt ihn rufen. *(der Kammerdiener geht ab)* – Ich kann doch nicht mehr arbeiten. – Ich war so ruhig, bild' ich mir ein, so ruhig – Auf einmal muß eine arme Bruneschi, Emilia heißen: – weg ist meine Ruhe, und alles! –

DER KAMMERD. *(welcher wieder herein tritt.)* Nach dem Marchese ist geschickt. Und hier, ein Brief von der Gräfinn Orsina.

DER PRINZ. Der Orsina? Legt ihn hin.

DER KAMMERD. Ihr Läufer wartet.

DER PRINZ. Ich will die Antwort senden; wenn es einer
bedarf. – Wo ist sie? In der Stadt? oder auf ihrer Villa? |

DER KAMMERD. Sie ist gestern in die Stadt gekommen.

DER PRINZ. Desto schlimmer – besser; wollt' ich sagen. So
braucht der Läufer um so weniger zu warten. *(der Kammerdiener geht ab)* Meine theure Gräfinn! *(bitter, indem
er den Brief in die Hand nimmt)* So gut, als gelesen! *(und
ihn wieder wegwirft.)* – Nun ja; ich habe sie zu lieben geglaubt! Was glaubt man nicht alles? Kann seyn, ich habe
sie auch wirklich geliebt. Aber – ich habe!

DER KAMMERD. *(Der nochmals herein tritt)* Der Maler
Conti will die Gnade haben – –

DER PRINZ. Conti? Recht wohl; laßt ihn herein kommen. –
Das wird mir andere Gedanken in den Kopf bringen. –
(steht auf.)

Zweyter Auftritt.

CONTI. DER PRINZ.

DER PRINZ. Guten Morgen, Conti. Wie leben Sie? Was
macht die Kunst?

CONTI. Prinz, die Kunst geht nach Brodt. |

DER PRINZ. Das muß sie nicht; das soll sie nicht, – in meinem kleinen Gebiethe gewiß nicht. – Aber der Künstler
muß auch arbeiten wollen.

CONTI. Arbeiten? Das ist seine Lust. Nur zu viel arbeiten
müssen, kann ihn um den Namen Künstler bringen.

DER PRINZ. Ich meyne nicht vieles; sondern viel: ein We-
niges; aber mit Fleiß. – Sie kommen doch nicht leer,
Conti?

CONTI. Ich bringe das Porträt, welches Sie mir befohlen haben, gnädiger Herr. Und bringe noch eines, welches Sie
mir nicht befohlen: aber weil es gesehen zu werden ver-
dient –

DER PRINZ. Jenes ist? – Kann ich mich doch kaum erin-
nern –

CONTI. Die Gräfinn Orsina.

DER PRINZ. Wahr! – Der Auftrag ist nur ein wenig von
lange her.

CONTI. Unsere schönen Damen sind nicht alle Tage zum
malen. Die Gräfinn hat, seit drey | Monathen, gerade
Einmal sich entschließen können, zu sitzen.

DER PRINZ. Wo sind die Stücke?

CONTI. In dem Vorzimmer: ich hole sie.

Dritter Auftritt.

DER PRINZ.

Ihr Bild! – mag! – Ihr Bild, ist sie doch nicht selber. – Und
vielleicht find' ich in dem Bilde wieder, was ich in der
Person nicht mehr erblicke. – Ich will es aber nicht wie-
derfinden. – Der beschwerliche Maler! Ich glaube gar, sie
hat ihn bestochen. – Wär' es auch! Wenn ihr ein anderes
Bild, das mit andern Farben, auf einen andern Grund
gemalet ist, – in meinem Herzen wieder Platz machen
will: – Wahrlich, ich glaube, ich wär' es zufrieden. Als
ich dort liebte, war ich immer so leicht, so fröhlich, so

ausgelassen – Nun bin ich von allem das Gegentheil. – Doch nein; nein, nein! Behäglicher, oder nicht behäglicher: ich bin so besser. |

Vierter Auftritt.

DER PRINZ. CONTI, *mit den Gemälden, wovon er das eine verwandt gegen einen Stuhl lehnet.*

CONTI. *(indem er das andere zurecht stellet.)* Ich bitte, Prinz, daß Sie die Gränzen unserer Kunst erwägen wollen. Vieles von dem Anzüglichsten der Schönheit, liegt ganz außer den Gränzen derselben. – Treten Sie so! –

DER PRINZ. *(nach einer kurzen Betrachtung.)* Vortrefflich, Conti; – ganz vortrefflich! – Das gilt Ihrer Kunst, Ihrem Pinsel. – Aber geschmeichelt, Conti; ganz unendlich geschmeichelt!

CONTI. Das Original schien dieser Meynung nicht zu seyn. Auch ist es in der That nicht mehr geschmeichelt, als die Kunst schmeicheln muß. Die Kunst muß malen, wie sich die plastische Natur, – wenn es eine giebt – das Bild dachte: ohne den Abfall, welchen der widerstrebende Stoff unvermeidlich macht; ohne das Verderb, mit welchem die Zeit dagegen an kämpfet. |

DER PRINZ. Der denkende Künstler ist noch eins so viel werth. – Aber das Original, sagen Sie, fand dem ungeachtet –

CONTI. Verzeihen Sie, Prinz. Das Original ist eine Person, die meine Ehrerbietung fodert. Ich habe nichts nachtheiliges von ihr äußern wollen.

DER PRINZ. So viel als Ihnen beliebt! – Und was sagte das
Original?

CONTI. Ich bin zufrieden, sagte die Gräfinn, wenn ich nicht
häßlicher aussehe.

DER PRINZ. Nicht häßlicher? – O das wahre Original!

CONTI. Und mit einer Miene sagte sie das, – von der freylich dieses ihr Bild keine Spur, keinen Verdacht zeiget.

DER PRINZ. Das meynt' ich ja; das ist es eben, worinn ich
die unendliche Schmeicheley finde. – O! ich kenne sie,
jene stolze höhnische Miene, die auch das Gesicht einer
Grazie entstellen würde! – Ich leugne nicht, daß ein
schöner Mund, der sich ein wenig spöttisch verziehet,
nicht selten um so viel schöner ist. Aber, wohl gemerkt, |
ein wenig: die Verziehung muß nicht bis zur Grimasse
gehen, wie bey dieser Gräfinn. Und Augen müssen über
den wollüstigen Spötter die Aufsicht führen, – Augen,
wie sie die gute Gräfinn nun gerade gar nicht hat. Auch
nicht einmal hier im Bilde hat.

CONTI. Gnädiger Herr, ich bin äußerst betroffen –

DER PRINZ. Und worüber? Alles, was die Kunst aus den
großen, hervorragenden, stieren, starren Medusenau-
gen der Gräfinn gutes machen kann, das haben Sie, Conti, redlich daraus gemacht. – Redlich, sag' ich? – Nicht so
redlich, wäre redlicher. Denn sagen Sie selbst, Conti,
läßt sich aus diesem Bilde wohl der Charakter der Person
schließen? Und das sollte doch. Stolz haben Sie in Würde, Hohn in Lächeln, Ansatz zu trübsinniger Schwärme-
rey in sanfte Schwermuth verwandelt.

CONTI. (etwas ärgerlich) Ah, mein Prinz, – wir Maler rechnen darauf, daß das fertige Bild den Liebhaber noch eben
so warm findet, als warm er es bestellte. Wir malen mit

Augen der Liebe: | und Augen der Liebe müßten uns auch nur beurtheilen.

DER PRINZ. Ja nun, Conti; – warum kamen Sie nicht einen Monath früher damit? – Setzen Sie weg. – Was ist das andere Stück?

CONTI. *(indem er es holt, und noch verkehrt in der Hand hält.)* Auch ein weibliches Porträtt.

DER PRINZ. So möcht' ich es bald – lieber gar nicht sehen. Denn dem Ideal hier, *(mit dem Finger auf die Stirne)* – oder vielmehr hier, *(mit dem Finger auf das Herz)* kömmt es doch nicht bey. – Ich wünschte, Conti, Ihre Kunst in andern Vorwürfen zu bewundern.

CONTI. Eine bewundernswürdigere Kunst giebt es; aber sicherlich keinen bewundernswürdigern Gegenstand, als diesen.

DER PRINZ. So wett' ich, Conti, daß es des Künstlers eigene Gebietherinn ist. – *(indem der Maler das Bild umwendet.)* Was seh' ich? Ihr Werk, Conti? oder das Werk meiner Phantasie? – Emilia Galotti!

CONTI. Wie, mein Prinz? Sie kennen diesen Engel? |

DER PRINZ. *(indem er sich zu fassen sucht, aber ohne ein Auge von dem Bilde zu verwenden.)* So halb! – um sie eben wieder zu kennen. – Es ist einige Wochen her, als ich sie mit ihrer Mutter in einer Vegghia traf. – Nachher ist sie mir nur an heiligen Stäten wieder vorgekommen, – wo das Angaffen sich weniger ziemet. – Auch kenn' ich ihren Vater. Er ist mein Freund nicht. Er war es, der sich meinen Ansprüchen auf Sabionetta am meisten widersetzte. – Ein alter Degen; stolz und rauh; sonst bieder und gut! –

CONTI. Der Vater! Aber hier haben wir seine Tochter. –

DER PRINZ. Bey Gott! wie aus dem Spiegel gestohlen! *(noch immer die Augen auf das Bild geheftet.)* O, Sie wissen es ja wohl, Conti, daß man den Künstler dann erst recht lobt, wenn man über sein Werk sein Lob vergißt.

CONTI. Gleichwohl hat mich dieses noch sehr unzufrieden mit mir gelassen. – Und doch bin ich wiederum sehr zufrieden mit meiner Unzufriedenheit mit mir selbst. – Ha! daß wir nicht unmittelbar mit den Augen malen! Auf dem langen | Wege, aus dem Auge durch den Arm in den Pinsel, wie viel geht da verloren! – Aber, wie ich sage, daß ich es weiß, was hier verloren gegangen, und wie es verloren gegangen, und warum es verloren gehen müssen: darauf bin ich eben so stolz, und stolzer, als ich auf alles das bin, was ich nicht verloren gehen lassen. Denn aus jenem erkenne ich, mehr als aus diesem, daß ich wirklich ein großer Maler bin; daß es aber meine Hand nur nicht immer ist. – Oder meynen Sie, Prinz, daß Raphael nicht das größte malerische Genie gewesen wäre, wenn er unglücklicher Weise ohne Hände wäre geboren worden? Meynen Sie, Prinz?

DER PRINZ. *(indem er nur eben von dem Bilde wegblickt)* Was sagen Sie, Conti? Was wollen Sie wissen?

CONTI. O nichts, nichts! – Plauderey! Ihre Seele, merk' ich, war ganz in Ihren Augen. Ich liebe solche Seelen, und solche Augen.

DER PRINZ. *(mit einer erzwungenen Kälte.)* Also, Conti, rechnen Sie doch wirklich Emilia Galotti mit zu den vorzüglichsten Schönheiten unserer Stadt? |

CONTI. Also? mit? mit zu den vorzüglichsten? und den vorzüglichsten unserer Stadt? – Sie spotten meiner,

Prinz. Oder Sie sahen, die ganze Zeit, eben so wenig, als Sie hörten.

DER PRINZ. Lieber Conti, – (die Augen wieder auf das Bild gerichtet) wie darf unser einer seinen Augen trauen? Eigentlich weiß doch nur allein ein Maler von der Schönheit zu urtheilen.

CONTI. Und eines jeden Empfindung sollte erst auf den Ausspruch eines Malers warten? – Ins Kloster mit dem, der es von uns lernen will, was schön ist! Aber das muß ich Ihnen doch als Maler sagen, mein Prinz: eine von den größten Glückseligkeiten meines Lebens ist es, daß Emilia Galotti mir gesessen. Dieser Kopf, dieses Antlitz, diese Stirn, diese Augen, diese Nase, dieser Mund, dieses Kinn, dieser Hals, diese Brust, dieser Wuchs, dieser ganze Bau, sind, von der Zeit an, mein einziges Studium der weiblichen Schönheit. – Die Schilderey selbst, wovor sie gesessen, hat ihr abwesender Vater bekommen. Aber diese Kopie –

DER PRINZ. (der sich schnell gegen ihn kehret.) Nun, Conti? ist doch nicht schon versagt? |

CONTI. Ist für Sie, Prinz; wenn Sie Geschmack daran finden.

DER PRINZ. Geschmack! – (lächelnd) Dieses Ihr Studium der weiblichen Schönheit, Conti, wie könnt' ich besser thun, als es auch zu dem meinigen zu machen? – Dort, jenes Porträtt nehmen Sie nur wieder mit, – einen Rahmen darum zu bestellen.

CONTI. Wohl!

DER PRINZ. So schön, so reich, als ihn der Schnitzer nur machen kann. Es soll in der Gallerie aufgestellet werden. – Aber dieses bleibt hier. Mit einem Studio macht man so viel Umstände nicht: auch läßt man das nicht aufhängen; sondern hat es gern bey der Hand. – Ich danke Ihnen, Conti; ich danke Ihnen recht sehr. – Und wie gesagt; in meinem Gebiethe soll die Kunst nicht nach Brodt gehen; – bis ich selbst keines habe. – Schicken Sie, Conti, zu meinem Schatzmeister, und lassen Sie, auf Ihre Quitung, für beide Porträtte sich bezahlen, – was Sie wollen. So viel Sie wollen, Conti. |

CONTI. Sollte ich doch nun bald fürchten, Prinz, daß Sie so, noch etwas anders belohnen wollen, als die Kunst.

DER PRINZ. O des eifersüchtigen Künstlers! Nicht doch! – Hören Sie, Conti; so viel Sie wollen. *(Conti geht ab.)*

Fünfter Auftritt.

DER PRINZ.

So viel er will! – *(gegen das Bild)* Dich hab' ich für jeden Preis noch zu wohlfeil. – Ah! schönes Werk der Kunst, ist es wahr, daß ich dich besitze? – Wer dich auch besäße, schönres Meisterstück der Natur! – Was Sie dafür wollen, ehrliche Mutter! Was du willst, alter Murrkopf! Fodre nur! Fodert nur! – Am liebsten kauft' ich dich, Zauberinn, von dir selbst! – Dieses Auge voll Liebreiz und Bescheidenheit! Dieser Mund! und wenn er sich zum reden öffnet! wenn er lächelt! Dieser Mund! – Ich höre kommen. – Noch bin ich mit dir zu neidisch. *(indem er das Bild gegen die Wand drehet.)* Es wird Marinelli seyn. Hätt' | ich ihn doch nicht rufen lassen! Was für einen Morgen könnt' ich haben!

Sechster Auftritt.

MARINELLI. DER PRINZ.

MARINELLI. Gnädiger Herr, Sie werden verzeihen. – Ich war mir eines so frühen Befehls nicht gewärtig.

DER PRINZ. Ich bekam Lust, auszufahren. Der Morgen war so schön. – Aber nun ist er ja wohl verstrichen; und die Lust ist mir vergangen. – *(nach einem kurzen Stillschweigen.)* Was haben wir Neues, Marinelli?

MARINELLI. Nichts von Belang, das ich wüßte. – Die Gräfinn Orsina ist gestern zur Stadt gekommen.

DER PRINZ. Hier liegt auch schon ihr guter Morgen, *(auf ihren Brief zeigend)* oder was es sonst seyn mag! Ich bin gar nicht neugierig darauf. – Sie haben sie gesprochen?

MARINELLI. Bin ich, leider, nicht ihr Vertrauter? – Aber, wenn ich es wieder von einer | Dame werde, der es einkömmt, Sie in gutem Ernste zu lieben, Prinz: so – –

DER PRINZ. Nichts verschworen, Marinelli!

MARINELLI. Ja? In der That, Prinz? Könnt' es doch kommen? – O! so mag die Gräfinn auch so Unrecht nicht haben.

DER PRINZ. Allerdings, sehr Unrecht! – Meine nahe Vermählung mit der Prinzessinn von Massa, will durchaus, daß ich alle dergleichen Händel fürs erste abbreche.

MARINELLI. Wenn es nur das wäre: so müßte freylich Orsina sich in ihr Schicksal eben so wohl zu finden wissen, als der Prinz in seines.

DER PRINZ. Das unstreitig härter ist, als ihres. Mein Herz wird das Opfer eines elenden Staatsinteresse. Ihres darf

sie nur zurücknehmen: aber nicht wider Willen ver-
schenken.

MARINELLI. Zurücknehmen? Warum zurücknehmen?
fragt die Gräfinn: wenn es weiter nichts, als eine Gemahlinn ist, die dem Prinzen nicht die Liebe, sondern
die Politick zuführet? Neben so einer Gemahlinn sieht
die Geliebte noch | immer ihren Platz. Nicht so einer Ge-
mahlinn fürchtet sie aufgeopfert zu seyn, sondern – –

DER PRINZ. Einer neuen Geliebten. – Nun denn? Wollten
Sie mir daraus ein Verbrechen machen, Marinelli?

MARINELLI. Ich? – O! vermengen Sie mich ja nicht, mein
Prinz, mit der Närrinn, deren Wort ich führe, – aus Mitleid führe. Denn gestern, wahrlich, hat sie mich sonder-
bar gerührt. Sie wollte von ihrer Angelegenheit mit Ihnen gar nicht sprechen. Sie wollte sich ganz gelassen und
kalt stellen. Aber mitten in dem gleichgültigsten Ge-
spräche, entfuhr ihr Eine Wendung, Eine Beziehung
über die andere, die ihr gefoltertes Herz verriet. Mit
dem lustigsten Wesen, sagte sie die melancholischsten
Dinge: und wiederum die lächerlichsten Possen mit der
allertraurigsten Miene. Sie hat zu den Büchern ihre Zu-
flucht genommen; und ich fürchte, die werden ihr den
Rest geben.

DER PRINZ. So wie sie ihrem armen Verstande auch den
ersten Stoß gegeben. – Aber was mich vornehmlich mit
von ihr entfernt hat, | das wollen Sie doch nicht brau-
chen, Marinelli, mich wieder zu ihr zurück zu bringen? –
Wenn sie aus Liebe närrisch wird, so wäre sie es, früher
oder später, auch ohne Liebe geworden – Und nun, genug von ihr. – Von etwas andern! – Geht denn gar nichts
vor, in der Stadt? –

MARINELLI. So gut, wie gar nichts. Denn daß die Verbin-
dung des Grafen Appiani heute vollzogen wird, – ist
nicht viel mehr, als gar nichts.

DER PRINZ. Des Grafen Appiani? und mit wem denn? –
Ich soll ja noch hören, daß er versprochen ist.

MARINELLI. Die Sache ist sehr geheim gehalten worden.
Auch war nicht viel Aufhebens davon zu machen. – Sie
werden lachen, Prinz. – Aber so geht es den Empfindsa-
men! Die Liebe spielet ihnen immer die schlimmsten
Streiche. Ein Mädchen ohne Vermögen und ohne Rang,
hat ihn in ihre Schlinge zu ziehen gewußt, – mit ein wenig Larve: aber mit vielem Prunke von Tugend und Ge-
fühl und Witz, – und was weiß ich? |

DER PRINZ. Wer sich den Eindrücken, die Unschuld und
Schönheit auf ihn machen, ohne weitere Rücksicht, so
ganz überlassen darf; – ich dächte, der wäre eher zu be-
neiden, als zu belachen. – Und wie heißt denn die Glück-
liche? – Denn bey alle dem ist Appiani – ich weiß wohl,
daß Sie, Marinelli, ihn nicht leiden können; eben so wenig als er Sie – bey alle dem ist er doch ein sehr würdiger
junger Mann, ein schöner Mann, ein reicher Mann, ein
Mann voller Ehre. Ich hätte sehr gewünscht, ihn mir ver-
binden zu können. Ich werde noch darauf denken.

MARINELLI. Wenn es nicht zu spät ist. – Denn so viel ich
höre, ist sein Plan gar nicht, bey Hofe sein Glück zu machen. – Er will mit seiner Gebietherinn nach seinen Thälern von Piemont: – Gemsen zu jagen, auf den Alpen;
und Murmelthiere abzurichten. – Was kann er besseres
thun? Hier ist es durch das Mißbündniß, welches er
trifft, mit ihm doch aus. Der Zirkel der ersten Häuser ist
ihm von nun an verschlossen – – |

DER PRINZ. Mit euren ersten Häusern! – in welchen das Ceremoniel, der Zwang, die Langeweile, und nicht selten die Dürftigkeit herrschet. – Aber so nennen Sie mir sie doch, der er dieses so große Opfer bringt.

MARINELLI. Es ist eine gewisse Emilia Galotti.

DER PRINZ. Wie, Marinelli? Eine gewisse –

MARINELLI. Emilia Galotti.

DER PRINZ. Emilia Galotti? – Nimmermehr!

MARINELLI. Zuverlässig, gnädiger Herr.

DER PRINZ. Nein, sag ich; das ist nicht, das kann nicht seyn. – Sie irren sich in dem Namen. – Das Geschlecht der Galotti ist groß. – Eine Galotti kann es seyn: aber nicht Emilia Galotti; nicht Emilia!

MARINELLI. Emilia – Emilia Galotti!

DER PRINZ. So giebt es noch eine, die beide Namen führt. – Sie sagten ohnedem, eine gewisse Emilia Galotti – eine gewisse. Von der rechten könnte nur ein Narr so sprechen –

MARINELLI. Sie sind außer sich, gnädiger Herr. – Kennen Sie denn diese Emilia? |

DER PRINZ. Ich habe zu fragen, Marinelli, nicht Er. – Emilia Galotti? Die Tochter des Obersten Galotti, bey Sabionetta?

MARINELLI. Eben die.

DER PRINZ. Die hier in Guastalla mit ihrer Mutter wohnet?

MARINELLI. Eben die.

DER PRINZ. Unfern der Kirche Allerheiligen?

MARINELLI. Eben die.

DER PRINZ. Mit einem Worte – (indem er nach dem Porträte springt, und es dem Marinelli in die Hand giebt)

Da! – Diese? Diese Emilia Galotti? – Sprich dein ver-
dammtes »Eben die« noch einmal, und stoß mir den
Dolch ins Herz.

MARINELLI. Eben die!

DER PRINZ. Henker! – Diese? – Diese Emilia Galotti wird
heute – –

MARINELLI. Gräfinn Appiani! – *(hier reißt der Prinz dem
Marinelli das Bild wieder aus der Hand, und wirft es bey
Seite.)* Die Trauung geschieht in der Stille, auf dem Land-
gute des Vaters bey Sabionetta. Gegen Mittag fahren
Mutter und | Tochter, der Graf und vielleicht ein paar
Freunde dahin ab.

DER PRINZ. *(der sich voll Verzweiflung in einen Stuhl
wirft.)* So bin ich verloren! – So will ich nicht leben!

MARINELLI. Aber was ist Ihnen, gnädiger Herr?

DER PRINZ. *(der gegen ihn wieder aufspringt.)* Verräther! –
was mir ist? – Nun ja ich liebe sie; ich bete sie an. Mögt
ihr es doch wissen! mögt ihr es doch längst gewußt haben, alle ihr, denen ich der tollen Orsina schimpfliche
Fesseln lieber ewig tragen sollte! – Nur daß Sie, Marinelli, der Sie so oft mich Ihrer innigsten Freundschaft versi-
cherten. – O ein Fürst hat keinen Freund! kann keinen
Freund haben! – daß Sie, Sie, so treulos, so hämisch mir
bis auf diesen Augenblick die Gefahr verhölen dürfen,
die meiner Liebe drohte: wenn ich Ihnen jemals das ver-
gebe, – so werde mir meiner Sünden keine vergeben!

MARINELLI. Ich weiß kaum Worte zu finden, Prinz, –
wenn Sie mich auch dazu kom|men ließen – Ihnen mein
Erstaunen zu bezeigen. – Sie lieben Emilia Galotti? –
Schwur dann gegen Schwur: Wenn ich von dieser Liebe
das geringste gewußt, das geringste vermuthet habe; so

möge weder Engel noch Heiliger von mir wissen! – Eben
das wollt' ich in die Seele der Orsina schwören. Ihr Verdacht schweift auf einer ganz andern Fährte.

DER PRINZ. So verzeihen Sie mir, Marinelli; – *(indem er
sich ihm in die Arme wirft)* und betauern Sie mich.

MARINELLI. Nun da, Prinz! Erkennen Sie da die Frucht ihrer Zurückhaltung! – »Fürsten haben keinen Freund!
können keinen Freund haben!« – Und die Ursache, wenn
dem so ist? – Weil Sie keinen haben wollen. – Heute be-
ehren sie uns mit ihrem Vertrauen, theilen uns ihre ge-
heimsten Wünsche mit, schließen uns ihre ganze Seele
auf: und morgen sind wir Ihnen wieder so fremd, als
hätten Sie nie ein Wort mit uns gewechselt.

DER PRINZ. Ach! Marinelli, wie konnt' ich Ihnen vertrau-
en, was ich mir selbst kaum gestehen wollte? |

MARINELLI. Und also wohl noch weniger der Urheberinn
Ihrer Qual gestanden haben?

DER PRINZ. Ihr? – Alle meine Mühe ist vergebens gewesen, sie ein zweytesmal zu sprechen. –

MARINELLI. Und das erstemal –

DER PRINZ. Sprach ich sie – O, ich komme von Sinnen!
Und ich soll Ihnen noch lange erzählen? – Sie sehen
mich einen Raub der Wellen: was fragen Sie viel, wie
ich es geworden? Retten Sie mich, wenn Sie können:
und fragen Sie dann.

MARINELLI. Retten? ist da viel zu retten? – Was Sie ver-
säumt haben, gnädiger Herr, der Emilia Galotti zu bekennen, das bekennen Sie nun der Gräfinn Appiani.
Waaren, die man aus der ersten Hand nicht haben kann,
kauft man aus der zweyten: – und solche Waaren nicht
selten aus der zweyten um so viel wohlfeiler.

DER PRINZ. Ernsthaft, Marinelli, ernsthaft, oder –

MARINELLI. Freylich, auch um so viel schlechter – – |

DER PRINZ. Sie werden unverschämt!

MARINELLI. Und dazu will der Graf damit aus dem Lande. – Ja, so müßte man auf etwas anders denken. –

DER PRINZ. Und auf was? – Liebster, bester Marinelli, denken Sie für mich. Was würden Sie thun, wenn Sie an meiner Stelle wären?

MARINELLI. Vor allen Dingen, eine Kleinigkeit als eine Kleinigkeit ansehen; – und mir sagen, daß ich nicht vergebens seyn wolle, was ich bin – Herr!

DER PRINZ. Schmeicheln Sie mir nicht mit einer Gewalt, von der ich hier keinen Gebrauch absehe. – Heute sagen Sie? schon heute?

MARINELLI. Erst heute – soll es geschehen. Und nur geschehenen Dingen ist nicht zu rathen. – *(nach einer kurzen Ueberlegung)* Wollen Sie mir freye Hand lassen, Prinz? Wollen Sie alles genehmigen, was ich thue?

DER PRINZ. Alles, Marinelli, alles, was diesen Streich abwenden kann. |

MARINELLI. So lassen Sie uns keine Zeit verlieren. – Aber bleiben Sie nicht in der Stadt. Fahren Sie sogleich nach Ihrem Lustschlosse, nach Dosalo. Der Weg nach Sabionetta geht da vorbey. Wenn es mir nicht gelingt, den Grafen augenblicklich zu entfernen: so denck' ich – Doch, doch; ich glaube, er geht in diese Falle gewiß. Sie wollen ja, Prinz, wegen Ihrer Vermählung einen Gesandten nach Massa schicken? Lassen Sie den Grafen dieser Gesandte seyn; mit dem Bedinge, daß er noch heute abreiset. – Verstehen Sie?

DER PRINZ. Vortrefflich! – Bringen Sie ihn zu mir heraus. Gehen Sie, eilen Sie. Ich werfe mich sogleich in den Wagen. *(Marinelli geht ab.)*

Siebenter Auftritt.

5 DER PRINZ. Sogleich! sogleich – Wo blieb es? – *(sich nach dem Porträtte umsehend)* Auf der Erde? das war zu arg! *(indem er es aufhebt)* Doch betrachten? | betrachten mag ich dich fürs erste nicht mehr. – Warum sollt' ich mir den Pfeil noch tiefer in die Wunde drücken? *(setzt es bey Sei-*
10 *te)* – Geschmachtet, geseufzet hab' ich lange genung, – länger als ich gesollt hätte: aber nichts gethan! und über die zärtliche Unthätigkeit bey einem Haar' alles verloren! – Und wenn nun doch alles verloren wäre? Wenn Marinelli nichts ausrichtete? – Warum will ich mich
15 auch auf ihn allein verlassen? Es fällt mir ein, – um diese Stunde, *(nach der Uhr sehend)* um diese nehmliche Stunde pflegt das fromme Mädchen alle Morgen bey den Dominikanern die Messe zu hören. – Wie wenn ich sie da zu sprechen suchte? – Doch heute, heut' an ihrem
20 Hochzeittage, – heute werden ihr andere Dinge am Herzen liegen, als die Messe. – Indeß, wer weiß? – Es ist ein Gang. – *(er klingelt, und indem er einige von den Papieren auf dem Tische hastig zusammen rafft, tritt der Kammerdiener herein)* Laßt vorfahren! – Ist noch keiner von den
25 Räthen da?

DER KAMMERD. Camillo Rota.

DER PRINZ. Er soll herein kommen. *(der Kammerdiener geht ab)* Nur aufhalten muß er mich nicht | wollen. Dasmal nicht! – Ich stehe gern seinen Bedenklichkeiten ein andermal um so viel länger zu Diensten. – Da war ja noch die Bittschrift einer Emilia Bruneschi – *(sie suchend)* Die ists. – Aber, gute Bruneschi, wo deine Vorsprecherinn – –

Achter Auftritt.

CAMILLO ROTA, *Schriften in der Hand.* DER PRINZ.

DER PRINZ. Kommen Sie, Rota, kommen Sie. – Hier ist, was ich diesen Morgen erbrochen. Nicht viel Tröstliches! – Sie werden von selbst sehen, was darauf zu verfügen. – Nehmen Sie nur.

CAMILLO ROTA. Gut, gnädiger Herr.

DER PRINZ. Noch ist hier eine Bittschrift einer Emilia Galot-- Bruneschi will ich sagen. – Ich habe meine Bewilligung zwar schon beygeschrieben. Aber doch – die Sache ist keine Kleinigkeit – Lassen Sie die Ausfertigung noch anstehen. – Oder auch nicht anstehen: wie Sie wollen. |

CAMILLO ROTA. Nicht wie ich will, gnädiger Herr.

DER PRINZ. Was ist sonst? Etwas zu unterschreiben?

CAMILLO ROTA. Ein Todesurtheil wäre zu unterschreiben.

DER PRINZ. Recht gern. – Nur her! geschwind.

CAMILLO ROTA. *(stutzig und den Prinzen starr ansehend)* Ein Todesurtheil, sagt' ich.

DER PRINZ. Ich höre ja wohl. – Es könnte schon geschehen seyn. Ich bin eilig.

CAMILLO ROTA. *(seine Schriften nachsehend)* Nun hab' ich es doch wohl nicht mitgenommen! – – Verzeihen Sie, gnädiger Herr. – Es kann Anstand damit haben bis morgen.

DER PRINZ. Auch das! – Packen Sie nur zusammen: ich muß fort – Morgen, Rota, ein Mehres! *(geht ab)*

CAMILLO ROTA. *(den Kopf schüttelnd, indem er die Papiere zu sich nimmt und abgeht)* Recht gern? – Ein Todesurtheil recht gern? – Ich hätt' es ihn in diesem Augenblicke nicht mögen unterschreiben las|sen, und wenn es den Mörder meines einzigen Sohnes betroffen hätte. – Recht gern! recht gern! – Es geht mir durch die Seele dieses gräßliche Recht gern!

Zweyter Aufzug.

(Die Scene, ein Saal in dem Hause der Galotti.)

Erster Auftritt.

CLAUDIA GALOTTI. PIRRO.

CLAUDIA. *(im Heraustreten zu Pirro, der von der andern* 5
Seite herein tritt) Wer sprengte da in den Hof?
PIRRO. Unser Herr, gnädige Frau.
CLAUDIA. Mein Gemahl? Ist es möglich?
PIRRO. Er folgt mir auf dem Fuße.
CLAUDIA. So unvermuthet? – *(ihm entgegen eilend)* Ach! 10
mein Bester! – |

Zweyter Auftritt.

ODOARDO GALOTTI, *und* DIE VORIGEN.

ODOARDO. Guten Morgen, meine Liebe! – Nicht wahr, das
heißt überraschen? 15
CLAUDIA. Und auf die angenehmste Art! – Wenn es anders nur eine Ueberraschung seyn soll.
ODOARDO. Nichts weiter! Sey unbesorgt. – Das Glück des
heutigen Tages weckte mich so früh; der Morgen war so
schön; der Weg ist so kurz; ich vermuthete euch hier so 20
geschäfftig – Wie leicht vergessen Sie etwas: fiel mir
ein. – Mit einem Worte: ich komme, und sehe, und kehre sogleich wieder zurück. – Wo ist Emilia? Unstreitig
beschäfftigt mit dem Putze? –

CLAUDIA. Ihrer Seele! – Sie ist in der Messe. – Ich habe heute, mehr als jeden andern Tag, Gnade von oben zu erflehen: sagte sie, und ließ alles liegen, und nahm ihren Schleyer, und eilte –

ODOARDO. Ganz allein?

CLAUDIA. Die wenigen Schritte – – |

ODOARDO. Einer ist genug zu einem Fehltritt'! –

CLAUDIA. Zürnen Sie nicht, mein Bester; und kommen Sie herein, – einen Augenblick auszuruhen, und, wann Sie wollen, eine Erfrischung zu nehmen.

ODOARDO. Wie du meynest, Claudia. – Aber sie sollte nicht allein gegangen seyn. –

CLAUDIA. Und Ihr, Pirro, bleibt hier in dem Vorzimmer, alle Besuche auf heute zu verbitten.

Dritter Auftritt.

PIRRO, *und bald darauf* ANGELO.

PIRRO. Die sich nur aus Neugierde melden lassen. – Was bin ich seit einer Stunde nicht alles ausgefragt worden! – Und wer kömmt da?

ANGELO. *(noch halb hinter der Scene, in einem kurzen Mantel, den er über das Gesicht gezogen, den Hut in die Stirne)* Pirro! – Pirro!

PIRRO. Ein Bekannter? – *(indem Angelo vollends hereintritt, und den Mantel auseinander schlägt)* Himmel! Angelo? – Du? |

ANGELO. Wie du siehst. – Ich bin lange genug um das Haus herumgegangen, dich zu sprechen. – Auf ein Wort! –

PIRRO. Und du wagst es, wieder ans Licht zu kommen? –
Du bist seit deiner letzten Mordthat vogelfrey erkläret;
auf deinen Kopf steht eine Belohnung –

ANGELO. Die doch du nicht wirst verdienen wollen? –

PIRRO. Was willst du? Ich bitte dich, mache mich nicht un- 5
glücklich.

ANGELO. Damit etwa? *(ihm einen Beutel mit Gelde zeigend)* – Nimm! Es gehöret dir!

PIRRO. Mir?

ANGELO. Hast du vergessen? Der Deutsche, dein voriger 10
Herr, – –

PIRRO. Schweig davon!

ANGELO. Den du uns, auf dem Wege nach Pisa, in die Falle
führtest –

PIRRO. Wenn uns jemand hörte! 15

ANGELO. Hatte ja die Güte, uns auch einen kostbaren Ring
zu hinterlassen. – Weißt du nicht? – Er war zu kostbar,
der Ring, als daß | wir ihn sogleich ohne Verdacht hätten
zu Gelde machen können. Endlich ist mir es damit gelungen. Ich habe hundert Pistolen dafür erhalten: und 20
das ist dein Antheil. Nimm!

PIRRO. Ich mag nichts – behalt' alles.

ANGELO. Meinetwegen! – wenn es dir gleich viel ist, wie
hoch du deinen Kopf feil trägst – *(als ob er den Beutel
wieder einstecken wollte.)* 25

PIRRO. So gieb nur! *(nimmt ihn)* – Und was nun? Denn daß
du bloß deswegen mich aufgesucht haben solltest – –

ANGELO. Das kömmt dir nicht so recht glaublich vor? – Ha-
lunke! Was denkst du von uns? – daß wir fähig sind, jemand seinen Verdienst vorzuenthalten? Das mag unter 30
den so genannten ehrlichen Leuten Mode seyn: unter

uns nicht. – Leb wohl! – *(thut als ob er gehen wollte, und kehrt wieder um)* Eins muß ich doch fragen. – Da kam ja der alte Galotti so ganz allein in die Stadt gesprengt. Was will der?

PIRRO. Nichts will er: ein bloßer Spatzierritt. Seine Tochter wird, heut' Abend, auf dem Gute, von dem er herkömmt, dem Grafen Ap|piani angetrauet. Er kann die Zeit nicht erwarten –

ANGELO. Und reitet bald wieder hinaus?

PIRRO. So bald, daß er dich hier trifft, wo du noch lange verziehest. – Aber du hast doch keinen Anschlag auf ihn? Nimm dich in Acht. Er ist ein Mann – –

ANGELO. Kenn' ich ihn nicht? Hab' ich nicht unter ihm gedient? – Wenn darum bey ihm nur viel zu holen wäre! – Wenn fahren die junge Leute nach?

PIRRO. Gegen Mittag.

ANGELO. Mit viel Begleitung?

PIRRO. In einem einzigen Wagen: die Mutter, die Tochter und der Graf. Ein Paar Freunde kommen aus Sabionetta als Zeugen.

ANGELO. Und Bediente?

PIRRO. Nur zwey; außer mir, der ich zu Pferde vorauf reiten soll.

ANGELO. Das ist gut. – Noch eins: wessen ist die Equipage? Ist es eure? oder des Grafen?

PIRRO. Des Grafen. |

ANGELO. Schlimm! Da ist noch ein Vorreiter, außer einem handfesten Kutscher. Doch! –

PIRRO. Ich erstaune. Aber was willst du? – Das Bißchen Schmuck, das die Braut etwa haben dürfte, wird schwerlich der Mühe lohnen –

ANGELO. So lohnt ihrer die Braut selbst!

PIRRO. Und auch bey diesem Verbrechen soll ich dein Mitschuldiger seyn?

ANGELO. Du reitest vorauf. Reite doch, reite! und kehre dich an nichts!

PIRRO. Nimmermehr!

ANGELO. Wie? ich glaube gar, du willst den Gewissenhaften spielen. – Bursche! ich denke, du kennst mich. – Wo du plauderst! Wo sich ein einziger Umstand anders findet, als du mir ihn angegeben! –

PIRRO. Aber, Angelo, um des Himmels willen! –

ANGELO. Thu, was du nicht lassen kannst! *(geht ab.)*

PIRRO. Ha! Laß dich den Teufel bey Einem Haare fassen; und du bist sein auf ewig! Ich Unglücklicher! |

Vierter Auftritt.

ODOARDO *und* CLAUDIA GALOTTI. PIRRO.

ODOARDO. Sie bleibt mir zu lang' aus –

CLAUDIA. Noch einen Augenblick, Odoardo! Es würde sie schmerzen, deines Anblicks so zu verfehlen.

ODOARDO. Ich muß auch bey dem Grafen noch einsprechen. Kaum kann ichs erwarten, diesen würdigen jungen Mann meinen Sohn zu nennen. Alles entzückt mich an ihm. Und vor allem der Entschluß, in seinen väterlichen Thälern sich selbst zu leben.

CLAUDIA. Das Herz bricht mir, wenn ich hieran gedenke. – So ganz sollen wir sie verlieren, diese einzige geliebte Tochter?

ODOARDO. Was nennst du, sie verlieren? Sie in den Armen der Liebe zu wissen? Vermenge dein Vergnügen an ihr, nicht mit ihrem Glücke. – Du möchtest meinen alten Argwohn erneuern: – daß es mehr das Geräusch und die Zerstreuung der Welt, mehr die Nähe des Hofes war, als die Nothwendigkeit, unserer Tochter eine anständige Erziehung | zu geben, was dich bewog, hier in der Stadt mit ihr zu bleiben; – fern von einem Manne und Vater, der euch so herzlich liebet.

CLAUDIA. Wie ungerecht, Odoardo! Aber laß mich heute nur ein einziges für diese Stadt, für diese Nähe des Hofes sprechen, die deiner strengen Tugend so verhaßt sind. – Hier, nur hier konnte die Liebe zusammen bringen, was für einander geschaffen war. Hier nur konnte der Graf Emilien finden; und fand sie.

ODOARDO. Das räum' ich ein. Aber, gute Claudia, hattest du darum Recht, weil dir der Ausgang Recht giebt? – Gut, daß es mit dieser Stadterziehung so abgelaufen! Laß uns nicht weise seyn wollen, wo wir nichts, als glücklich gewesen! Gut, daß es so damit abgelaufen! – Nun haben sie sich gefunden, die für einander bestimmt waren: nun laß sie ziehen, wohin Unschuld und Ruhe sie rufen. – Was sollte der Graf hier? Sich bücken, schmeicheln und kriechen, und die Marinellis auszustechen suchen? um endlich ein Glück zu machen, dessen er nicht bedarf? um end|lich einer Ehre gewürdiget zu werden, die für ihn keine wäre? – Pirro!

PIRRO. Hier bin ich.

ODOARDO. Geh und führe mein Pferd vor das Haus des Grafen. Ich komme nach, und will mich da wieder aufsetzen. *(Pirro geht ab.)* – Warum soll der Graf hier die-

nen, wenn er dort selbst befehlen kann? – Dazu beden-
kest du nicht, Claudia, daß durch unsere Tochter er es
vollends mit dem Prinzen verderbt. Der Prinz haßt
mich –

CLAUDIA. Vielleicht weniger, als du besorgest.

ODOARDO. Besorgest! Ich besorg' auch so was!

CLAUDIA. Denn hab' ich dir schon gesagt, daß der Prinz
unsere Tochter gesehen hat?

ODOARDO. Der Prinz? Und wo das?

CLAUDIA. In der letzten Vegghia, bey dem Kanzler Grimaldi, die er mit seiner Gegenwart beehrte. Er bezeigte sich
gegen sie so gnädig – –

ODOARDO. So gnädig?

CLAUDIA. Er unterhielt sich mit ihr so lange – –

ODOARDO. Unterhielt sich mit ihr? |

CLAUDIA. Schien von ihrer Munterkeit und ihrem Witze
so bezaubert – –

ODOARDO. So bezaubert? –

CLAUDIA. Hat von ihrer Schönheit mit so vielen Lobeserhebungen gesprochen – –

ODOARDO. Lobeserhebungen? Und das alles erzählst du
mir in einem Tone der Entzückung? O Claudia! eitle,
thörichte Mutter!

CLAUDIA. Wie so?

ODOARDO. Nun gut, nun gut! Auch das ist so abgelaufen. –
Ha! wenn ich mir einbilde – Das gerade wäre der Ort, wo
ich am tödtlichsten zu verwunden bin! – Ein Wollüst-
ling, der bewundert, begehrt. – Claudia! Claudia! der
bloße Gedanke setzt mich in Wut. – Du hättest mir das
sogleich sollen gemeldet haben. – Doch, ich möchte dir
heute nicht gern etwas unangenehmes sagen. Und ich

würde, *(indem sie ihn bey der Hand ergreift)* wenn ich
länger bliebe. – Drum laß mich! laß mich! – Gott befoh-
len, Claudia! – Kommt glücklich nach! |

Fünfter Auftritt.

CLAUDIA GALOTTI.

Welch ein Mann! – O, der rauhen Tugend! – wenn anders sie diesen Namen verdienet. – Alles scheint ihr ver-
dächtig, alles strafbar! – Oder, wenn das die Menschen
kennen heißt: – wer sollte sich wünschen, sie zu kennen? – Wo bleibt aber auch Emilia? – Er ist des Vaters
Feind: folglich – folglich, wenn er ein Auge für die Tochter hat, so ist es einzig, um ihn zu beschimpfen? –

Sechster Auftritt.

EMILIA *und* CLAUDIA GALOTTI.

EMILIA. *(stürzet in einer ängstlichen Verwirrung herein.)*
Wohl mir! wohl mir! Nun bin ich in Sicherheit. Oder ist
er mir gar gefolgt? *(indem sie den Schleyer zurück wirft
und ihre Mutter erblicket)* Ist er, meine Mutter? ist er? –
Nein, dem Himmel sey Dank!

CLAUDIA. Was ist dir, meine Tochter? was ist dir? |

EMILIA. Nichts, nichts –

CLAUDIA. Und blickest so wild um dich? Und zitterst an
jedem Gliede?

EMILIA. Was hab' ich hören müssen? Und wo, wo hab' ich
es hören müssen?

CLAUDIA. Ich habe dich in der Kirche geglaubt –

EMILIA. Eben da! Was ist dem Laster Kirch' und Altar? – Ach, meine Mutter! *(sich ihr in die Arme werfend)*

CLAUDIA. Rede, meine Tochter! – Mach meiner Furcht ein Ende. – Was kann dir da, an heiliger Stäte, so schlimmes begegnet seyn?

EMILIA. Nie hätte meine Andacht inniger, brünstiger seyn sollen, als heute: nie ist sie weniger gewesen, was sie seyn sollte.

CLAUDIA. Wir sind Menschen, Emilia. Die Gabe zu beten ist nicht immer in unserer Gewalt. Dem Himmel ist beten wollen, auch beten.

EMILIA. Und sündigen wollen, auch sündigen.

CLAUDIA. Das hat meine Emilia nicht wollen!

EMILIA. Nein, meine Mutter; so tief ließ mich die Gnade nicht sinken. – Aber daß frem|des Laster uns, wider unsern Willen, zu Mitschuldigen machen kann!

CLAUDIA. Fasse dich! – Sammle deine Gedanken, so viel dir möglich. – Sag' es mir mit eins, was dir geschehen.

EMILIA. Eben hatt' ich mich, – weiter von dem Altare, als ich sonst pflege, – denn ich kam zu spät – auf meine Knie gelassen. Eben fieng ich an, mein Herz zu erheben: als dicht hinter mir etwas seinen Platz nahm. So dicht hinter mir! – Ich konnte weder vor, noch zur Seite rücken, – so gern ich auch wollte; aus Furcht, daß eines andern Andacht mich in meiner stören möchte. – Andacht! das war das schlimmste, was ich besorgte. – Aber es währte nicht lange, so hört' ich, ganz nah' an meinem Ohre, – nach einem tiefen Seufzer, – nicht den Namen einer Heiligen, – den Namen, – zürnen Sie nicht, meine Mutter – den Namen Ihrer Tochter! – Meinen Namen! – O daß

laute Donner mich verhindert hätten, mehr zu hören! –
Es sprach von Schönheit, von Liebe – Es klagte, daß die-
ser Tag, welcher mein Glück mache, – wenn er es | anders
mache – sein Unglück auf immer entscheide. – Es be-
schwor mich – hören mußt' ich dieß alles. Aber ich blick-
te nicht um; ich wollte thun, als ob ich es nicht hörte. –
Was konnt' ich sonst? – Meinen guten Engel bitten,
mich mit Taubheit zu schlagen; und wann auch, wann
auch auf immer! – Das bat ich; das war das einzige, was
ich beten konnte. – Endlich ward es Zeit, mich wieder zu
erheben. Das heilige Amt gieng zu Ende. Ich zitterte,
mich umzukehren. Ich zitterte, ihn zu erblicken, der sich
den Frevel erlauben dürfen. Und da ich mich umwandte,
da ich ihn erblickte. –

CLAUDIA. Wen, meine Tochter?

EMILIA. Rathen Sie, meine Mutter; rathen Sie – Ich glaubte
in die Erde zu sinken. – Ihn selbst.

CLAUDIA. Wen, ihn selbst?

EMILIA. Den Prinzen.

CLAUDIA. Den Prinzen! – O geseegnet sey die Ungeduld
deines Vaters, der eben hier war, und dich nicht erwar-
ten wollte! |

EMILIA. Mein Vater hier? – und wollte mich nicht erwarten?

CLAUDIA. Wenn du in deiner Verwirrung auch ihn das
hättest hören lassen!

EMILIA. Nun, meine Mutter? – Was hätt' er an mir strafba-
res finden können?

CLAUDIA. Nichts; eben so wenig, als an mir. Und doch,
doch – Ha, du kennest deinen Vater nicht! In seinem
Zorne hätt' er den unschuldigen Gegenstand des Verbre-

chens mit dem Verbrecher verwechselt. In seiner Wut
hätt' ich ihm geschienen, das veranlaßt zu haben, was
ich weder verhindern, noch vorhersehen können. – Aber
weiter, meine Tochter, weiter! Als du den Prinzen er-
kanntest – Ich will hoffen, daß du deiner mächtig genug
warest, ihm in Einem Blicke alle die Verachtung zu bezeigen, die er verdienet.

EMILIA. Das war ich nicht, meine Mutter! Nach dem Blicke, mit dem ich ihn erkannte, hatt' ich nicht das Herz,
einen zweyten auf ihn zu richten. Ich floh' –

CLAUDIA. Und der Prinz dir nach – |

EMILIA. Was ich nicht wußte, bis ich in der Halle mich bey
der Hand ergriffen fühlte. Und von ihm! Aus Scham
mußt' ich Stand halten: mich von ihm loszuwinden,
würde die Vorbeygehenden zu aufmerksam auf uns gemacht haben. Das war die einzige Ueberlegung, deren
ich fähig war – oder deren ich nun mich wieder erinnere.
Er sprach; und ich hab' ihm geantwortet. Aber, was er
sprach, was ich ihm geantwortet; – fällt mir es noch bey,
so ist es gut, so will ich es Ihnen sagen, meine Mutter.
Itzt weiß ich von dem allen nichts. Meine Sinne hatten
mich verlassen. – Umsonst denk' ich nach, wie ich von
ihm weg, und aus der Halle gekommen. Ich finde mich
erst auf der Straße wieder; und höre ihn hinter mir her-
kommen; und höre ihn mit mir zugleich in das Haus treten, mit mir die Treppe hinauf steigen – –

CLAUDIA. Die Furcht hat ihren besondern Sinn, meine
Tochter! – Ich werde es nie vergessen, mit welcher Ge-
behrde du hereinstürztest. – Nein, so weit durfte er nicht
wagen, dir zu folgen. – Gott! Gott! wenn dein Vater das |
wüßte! – Wie wild er schon war, als er nur hörte, daß der

Prinz dich jüngst nicht ohne Mißfallen gesehen! – Indeß, sey ruhig, meine Tochter! Nimm es für einen Traum, was dir begegnet ist. Auch wird es noch weniger Folgen haben, als ein Traum. Du entgehest heute mit eins allen Nachstellungen.

EMILIA. Aber, nicht, meine Mutter? Der Graf muß das wissen. Ihm muß ich es sagen.

CLAUDIA. Um alle Welt nicht! – Wozu? warum? – Willst du für nichts, und wieder für nichts ihn unruhig machen? Und wann er es auch itzt nicht würde: wisse, mein Kind, daß ein Gift, welches nicht gleich wirket, darum kein minder gefährliches Gift ist. Was auf den Liebhaber keinen Eindruck macht, kann ihn auf den Gemahl machen. Den Liebhaber könnt' es sogar schmeicheln, einem so wichtigen Mitbewerber den Rang abzulaufen. Aber wenn er ihm den nun einmal abgelaufen hat: ah! mein Kind, – so wird aus dem Liebhaber oft ein ganz anderes Geschöpf. Dein gutes Gestirn behüte dich vor dieser Erfahrung.|

EMILIA. Sie wissen, meine Mutter, wie gern ich Ihren bessern Einsichten mich in allem unterwerfe. – Aber, wenn er es von einem andern erführe, daß der Prinz mich heute gesprochen? Würde mein Verschweigen nicht, früh oder spät, seine Unruhe vermehren? – Ich dächte doch, ich behielte lieber vor ihm nichts auf dem Herzen.

CLAUDIA. Schwachheit! verliebte Schwachheit! – Nein, durchaus nicht, meine Tochter! Sag' ihm nichts. Laß ihn nichts merken!

EMILIA. Nun ja, meine Mutter! Ich habe keinen Willen gegen den Ihrigen. – Aha! (mit einem tiefen Athemzuge) Auch wird mir wieder ganz leicht. – Was für ein alber-

nes, furchtsames Ding ich bin! – Nicht, meine Mutter? –
Ich hätte mich noch wohl anders dabey nehmen können,
und würde mir eben so wenig vergeben haben.

CLAUDIA. Ich wollte dir das nicht sagen, meine Tochter,
bevor dir es dein eigner gesunder Verstand sagte. Und
ich wußte, er würde dir es sagen, sobald du wieder zu dir
selbst gekommen. – Der Prinz ist galant. Du bist die unbedeutende
Sprache der Galanterie zu wenig gewohnt.
Eine | Höflichkeit wird in ihr zur Empfindung; eine
Schmeicheley zur Betheurung; ein Einfall zum Wunsche;
ein Wunsch zum Vorsatze. Nichts klingt in dieser
Sprache wie Alles: und Alles ist in ihr so viel als Nichts.

EMILIA. O meine Mutter! – so müßte ich mir mit meiner
Furcht vollends lächerlich vorkommen! – Nun soll er gewiß
nichts davon erfahren, mein guter Appiani! Er
könnte mich leicht für mehr eitel, als tugendhaft, halten.
– Huy! daß er da selbst kömmt! Es ist sein Gang.

Siebenter Auftritt.

GRAF APPIANI. DIE VORIGEN.

APPIANI. *(tritt tiefsinnig, mit vor sich hingeschlagenen Augen
herein, und kömmt näher, ohne sie zu erblicken; bis
Emilia ihm entgegen springt.)* Ah, meine Theuerste! –
Ich war mir Sie in dem Vorzimmer nicht vermuthend.

EMILIA. Ich wünschte Sie heiter, Herr Graf, auch wo Sie
mich nicht vermuthen. – So feyerlich? so ernsthaft? – Ist
dieser Tag keiner freudigern Aufwallung werth? |

APPIANI. Er ist mehr werth, als mein ganzes Leben. Aber

schwanger mit so viel Glückseligkeit für mich, – mag es wohl diese Glückseligkeit selbst seyn, die mich so ernst, die mich, wie Sie es nennen, mein Fräulein, so feyerlich macht. – *(indem er die Mutter erblickt.)* Ha! auch Sie hier, meine gnädige Frau! – nun bald mir mit einem innigern Namen zu verehrende!

CLAUDIA. Der mein größter Stolz seyn wird! – Wie glücklich bist du, meine Emilia! – Warum hat dein Vater unsere Entzückung nicht theilen wollen?

APPIANI. Eben habe ich mich aus seinen Armen gerissen: – oder vielmehr er, sich aus meinen. – Welch ein Mann, meine Emilia, Ihr Vater! Das Muster aller männlichen Tugend! Zu was für Gesinnungen erhebt sich meine Seele in seiner Gegenwart! Nie ist mein Entschluß immer gut, immer edel zu seyn, lebendiger, als wenn ich ihn sehe – wenn ich ihn mir denke. Und womit sonst, als mit der Erfüllung dieses Entschlusses kann ich mich der Ehre würdig machen, | sein Sohn zu heißen; – Der Ihrige zu seyn, meine Emilia?

EMILIA. Und er wollte mich nicht erwarten!

APPIANI. Ich urtheile, weil ihn seine Emilia, für diesen augenblicklichen Besuch, zu sehr erschüttert, zu sehr sich seiner ganzen Seele bemächtiget hätte.

CLAUDIA. Er glaubte dich mit deinem Brautschmucke beschäfftiget zu finden: und hörte –

APPIANI. Was ich mit der zärtlichsten Bewunderung wieder von ihm gehört habe. – So recht, meine Emilia! Ich werde eine fromme Frau an Ihnen haben; und die nicht stolz auf ihre Frömmigkeit ist.

CLAUDIA. Aber, meine Kinder, eines thun, und das andere nicht lassen! – Nun ist es hohe Zeit; nun mach', Emilia!

APPIANI. Was? meine gnädige Frau.

CLAUDIA. Sie wollen sie doch nicht so, Herr Graf, – so wie sie da ist, zum Altare führen?

APPIANI. Wahrlich, das werd' ich nun erst gewahr. – Wer kann Sie sehen, Emilia, und | auch auf Ihren Putz achten? – Und warum nicht so, so wie sie da ist?

EMILIA. Nein, mein lieber Graf, nicht so; nicht ganz so. Aber auch nicht viel prächtiger; nicht viel. – Husch, husch, und ich bin fertig! – Nichts, gar nichts von dem Geschmeide, dem letzten Geschenke Ihrer verschwenderischen Großmuth! Nichts, gar nichts, was sich nur zu solchem Geschmeide schickte! – Ich könnte ihm gram seyn, diesem Geschmeide, wenn es nicht von Ihnen wäre. – Denn dreymal hat mir von ihm geträumet –

CLAUDIA. Nun! davon weiß ich ja nichts.

EMILIA. Als ob ich es trüge, und als ob plötzlich sich jeder Stein desselben in eine Perle verwandele. – Perlen aber, meine Mutter, Perlen bedeuten Thränen.

CLAUDIA. Kind! Die Bedeutung ist träumerischer, als der Traum. – Warest du nicht von je her eine grössere Liebhaberinn von Perlen, als von Steinen? –

EMILIA. Freylich, meine Mutter, freylich – |

APPIANI. (nachdenkend und schwermüthig) Bedeuten Thränen – bedeuten Thränen!

EMILIA. Wie? Ihnen fällt das auf? Ihnen?

APPIANI. Ja wohl; ich sollte mich schämen. – Aber, wenn die Einbildungskraft einmal zu traurigen Bildern gestimmt ist –

EMILIA. Warum ist sie das auch? – Und was meynen Sie, das ich mir ausgedacht habe? – Was trug ich, wie sah ich, als ich Ihnen zuerst gefiel? – Wissen Sie es noch?

APPIANI. Ob ich es noch weiß? Ich sehe Sie in Gedanken nie anders, als so; und sehe Sie so, auch wenn ich Sie nicht so sehe.

EMILIA. Also, ein Kleid von der nehmlichen Farbe, von dem nehmlichen Schnitte; fliegend und frey –

APPIANI. Vortrefflich!

EMILIA. Und das Haar –

APPIANI. In seinem eignen braunen Glanze; in Locken, wie sie die Natur schlug –

EMILIA. Die Rose darinn nicht zu vergessen! Recht! recht! – Eine kleine Geduld, und ich stehe so vor Ihnen da! |

Achter Auftritt.

GRAF APPIANI. CLAUDIA GALOTTI.

APPIANI. *(indem er ihr mit einer niedergeschlagenen Miene nachsieht.)* Perlen bedeuten Thränen! – Eine kleine Geduld! – Ja, wenn die Zeit nur außer uns wäre! – Wenn eine Minute am Zeiger, sich in uns nicht in Jahre ausdehnen könnte! –

CLAUDIA. Emiliens Beobachtung, Herr Graf, war so schnell, als richtig. Sie sind heut' ernster als gewöhnlich. Nur noch einen Schritt von dem Ziele Ihrer Wünsche, – sollt' es Sie reuen, Herr Graf, daß es das Ziel Ihrer Wünsche gewesen?

APPIANI. Ah, meine Mutter, und Sie können das von Ihrem Sohne argwohnen? – Aber, es ist wahr; ich bin heut' ungewöhnlich trübe und finster. – Nur sehen Sie, gnädige Frau; – noch Einen Schritt vom Ziele, oder noch gar nicht ausgelaufen seyn, ist im Grunde eines. – Alles was ich sehe, alles was ich höre, alles was ich träume, prediget mir seit gestern und ehegestern | diese Wahrheit. Dieser Eine Gedanke kettet sich an jeden andern, den ich haben muß und haben will. – Was ist das? Ich versteh' es nicht. –

CLAUDIA. Sie machen mich unruhig, Herr Graf –

APPIANI. Eines kömmt dann zum andern! – Ich bin ärgerlich; ärgerlich über meine Freunde, über mich selbst –

CLAUDIA. Wie so?

APPIANI. Meine Freunde verlangen schlechterdings, daß ich dem Prinzen von meiner Heyrath ein Wort sagen soll, ehe ich sie vollziehe. Sie geben mir zu, ich sey es nicht schuldig: aber die Achtung gegen ihn woll' es nicht anders. – Und ich bin schwach genug gewesen, es ihnen zu versprechen. Eben wollt' ich noch bey ihm vorfahren.

CLAUDIA. (stutzig.) Bey dem Prinzen? |

Neunter Auftritt.

PIRRO, *gleich darauf* MARINELLI, *und* DIE VORIGEN.

PIRRO. Gnädige Frau, der Marchese Marinelli hält vor dem Hause, und erkundiget sich nach dem Herrn Grafen.

APPIANI. Nach mir?

PIRRO. Hier ist er schon. *(öffnet ihm die Thüre und gehet ab.)*

MARINELLI. Ich bitt' um Verzeihung, gnädige Frau. – Mein Herr Graf, ich war vor Ihrem Hause, und erfuhr, daß ich Sie hier treffen würde. Ich hab' ein dringendes Geschäfft an Sie – Gnädige Frau, ich bitte nochmals um Verzeihung; es ist in einigen Minuten geschehen.

CLAUDIA. Die ich nicht verzögern will. *(macht ihm eine Verbeugung und geht ab.)*

Zehnter Auftritt.

MARINELLI. APPIANI.

APPIANI. Nun, mein Herr?

MARINELLI. Ich komme von des Prinzen Durchlaucht. |

APPIANI. Was ist zu seinem Befehle?

MARINELLI. Ich bin stolz, der Ueberbringer einer so vorzüglichen Gnade zu seyn. – Und wenn Graf Appiani nicht mit Gewalt einen seiner ergebensten Freunde in mir verkennen will – –

APPIANI. Ohne weitere Vorrede; wenn ich bitten darf.

MARINELLI. Auch das! – Der Prinz muß sogleich an den Herzog von Massa, in Angelegenheit seiner Vermählung mit dessen Prinzessinn Tochter, einen Bevollmächtigten senden. Er war lange unschlüßig, wen er dazu ernennen sollte. Endlich ist seine Wahl, Herr Graf, auf Sie gefallen.

APPIANI. Auf mich?

MARINELLI. Und das, – wenn die Freundschaft ruhmredig seyn darf – nicht ohne mein Zuthun –

APPIANI. Wahrlich, Sie setzen mich wegen eines Dankes in Verlegenheit. – Ich habe schon längst nicht mehr erwartet, daß der Prinz mich zu brauchen geruhen werde. – |

MARINELLI. Ich bin versichert, daß es ihm bloß an einer

würdigen Gelegenheit gemangelt hat. Und wenn auch diese so eines Mannes, wie Graf Appiani, noch nicht würdig genug seyn sollte: so ist freylich meine Freundschaft zu voreilig gewesen.

APPIANI. Freundschaft und Freundschaft, um das dritte Wort! – Mit wem red' ich denn? Des Marchese Marinelli Freundschaft hätt' ich mir nie träumen lassen. –

MARINELLI. Ich erkenne mein Unrecht, Herr Graf, mein unverzeihliches Unrecht, daß ich, ohne Ihre Erlaubniß, Ihr Freund seyn wollen. – Bey dem allen: was thut das? Die Gnade des Prinzen, die Ihnen angetragene Ehre, bleiben, was sie sind: und ich zweifle nicht, Sie werden sie mit Begierd' ergreifen.

APPIANI. *(nach einiger Ueberlegung)* Allerdings.

MARINELLI. Nun so kommen Sie.

APPIANI. Wohin?

MARINELLI. Nach Dosalo, zu dem Prinzen. – Es liegt schon alles fertig; und Sie müssen noch heut' abreisen.

APPIANI. Was sagen Sie? – Noch heute? |

MARINELLI. Lieber noch in dieser nehmlichen Stunde, als in der folgenden. Die Sache ist von der äußersten Eil.

APPIANI. In Wahrheit? – So thut es mir leid, daß ich die Ehre, welche mir der Prinz zugedacht, verbitten muß.

MARINELLI. Wie?

APPIANI. Ich kann heute nicht abreisen; – auch morgen nicht; – auch übermorgen noch nicht. –

MARINELLI. Sie scherzen, Herr Graf.

APPIANI. Mit Ihnen?

MARINELLI. Unvergleichlich! Wenn der Scherz den Prinzen gilt, so ist er um so viel lustiger. – Sie können nicht?

APPIANI. Nein, mein Herr, nein. – Und ich hoffe, daß der Prinz selbst meine Entschuldigung wird gelten lassen.

MARINELLI. Die bin ich begierig, zu hören.

APPIANI. O, eine Kleinigkeit! – Sehen Sie; ich soll noch heut' eine Frau nehmen.

MARINELLI. Nun? und dann? |

APPIANI. Und dann? – und dann? – Ihre Frage ist auch verzweifelt naiv.

MARINELLI. Man hat Exempel, Herr Graf, daß sich Hochzeiten aufschieben lassen. – Ich glaube freylich nicht, daß der Braut oder dem Bräutigam immer damit gedient ist. Die Sache mag ihr Unangenehmes haben. Aber doch, dächt' ich, der Befehl des Herrn –

APPIANI. Der Befehl des Herrn? – des Herrn? Ein Herr, den man sich selber wählt, ist unser Herr so eigentlich nicht – Ich gebe zu, daß Sie dem Prinzen unbedingtern Gehorsam schuldig wären. Aber nicht ich. – Ich kam an seinen Hof als ein Freywilliger. Ich wollte die Ehre haben, ihm zu dienen: aber nicht sein Sklave werden. Ich bin der Vasall eines grössern Herrn –

MARINELLI. Grösser oder kleiner: Herr ist Herr.

APPIANI. Daß ich mit Ihnen darüber stritte! – Genug, sagen Sie dem Prinzen, was Sie gehört haben: – daß es mir leid thut, seine Gnade nicht annehmen zu können; weil ich eben | heut' eine Verbindung vollzöge, die mein ganzes Glück ausmache.

MARINELLI. Wollen Sie ihn nicht zugleich wissen lassen, mit wem?

APPIANI. Mit Emilia Galotti.

MARINELLI. Der Tochter aus diesem Hause?

APPIANI. Aus diesem Hause.

MARINELLI. Hm! hm!

APPIANI. Was beliebt?

MARINELLI. Ich sollte meynen, daß es sonach um so weniger Schwierigkeit haben könne, die Ceremonie bis zu Ihrer Zurückkunft auszusetzen.

APPIANI. Die Ceremonie? Nur die Ceremonie?

MARINELLI. Die guten Aeltern werden es so genau nicht nehmen.

APPIANI. Die guten Aeltern?

MARINELLI. Und Emilia bleibt Ihnen ja wohl gewiß.

APPIANI. Ja wohl gewiß? – Sie sind mit Ihrem Ja wohl – ja wohl ein ganzer Affe!

MARINELLI. Mir das, Graf?

APPIANI. Warum nicht? |

MARINELLI. Himmel und Hölle! – Wir werden uns sprechen.

APPIANI. Pah! Hämisch ist der Affe; aber –

MARINELLI. Tod und Verdammniß! – Graf, ich fodere Genugthuung.

APPIANI. Das versteht sich.

MARINELLI. Und würde sie gleich itzt nehmen: – nur daß ich dem zärtlichen Bräutigam den heutigen Tag nicht verderben mag.

APPIANI. Gutherziges Ding! – Nicht doch! *(indem er ihn bey der Hand ergreift)* Nach Massa freylich mag ich mich heute nicht schicken lassen: aber zu einem Spatziergange mit Ihnen hab' ich Zeit übrig. – Kommen Sie, kommen Sie!

MARINELLI. *(der sich losreißt, und abgeht)* Nur Geduld, Graf, nur Geduld!

Eilfter Auftritt.

APPIANI. CLAUDIA GALOTTI.

APPIANI. Geh, Nichtswürdiger! – Ha! das hat gut gethan. Mein Blut ist in Wallung gekommen. Ich fühle mich anders und besser. |

CLAUDIA. *(eiligst und besorgt)* Gott! Herr Graf – Ich hab' einen heftigen Wortwechsel gehört. – Ihr Gesicht glühet. Was ist vorgefallen?

APPIANI. Nichts, gnädige Frau, gar nichts. Der Kammerherr Marinelli hat mir einen großen Dienst erwiesen. Er hat mich des Ganges zum Prinzen überhoben.

CLAUDIA. In der That?

APPIANI. Wir können nun um so viel früher abfahren. Ich gehe, meine Leute zu treiben, und bin sogleich wieder hier. Emilia wird indeß auch fertig.

CLAUDIA. Kann ich ganz ruhig seyn, Herr Graf?

APPIANI. Ganz ruhig, gnädige Frau. *(Sie geht herein und er fort.)* |

Dritter Aufzug.

(Die Scene, ein Vorsaal auf dem Lustschlosse des Prinzen.)

Erster Auftritt.

DER PRINZ. MARINELLI.

MARINELLI. Umsonst; er schlug die angetragene Ehre mit der größten Verachtung aus.

DER PRINZ. Und so bleibt es dabey? So geht es vor sich? So wird Emilia noch heute die seinige?

MARINELLI. Allem Ansehen nach.

DER PRINZ. Ich versprach mir von Ihrem Einfalle so viel! – Wer weiß, wie albern Sie sich dabey genommen. – Wenn der Rath eines Thoren einmal gut ist, so muß ihn ein gescheuter Mann ausführen. Das hätt' ich bedenken sollen.

MARINELLI. Da find' ich mich schön belohnt!

DER PRINZ. Und wofür belohnt?

MARINELLI. Daß ich noch mein Leben darüber in die Schanze schlagen wollte. – Als ich | sahe, daß weder Ernst noch Spott den Grafen bewegen konnte, seine Liebe der Ehre nachzusetzen: versucht' ich es, ihn in Harnisch zu jagen. Ich sagte ihm Dinge, über die er sich vergaß. Er stieß Beleidigungen gegen mich aus: und ich foderte Genugthuung, – und foderte sie gleich auf der Stelle. – Ich dachte so: entweder er mich; oder ich ihn. Ich ihn: so ist das Feld ganz unser. Oder er mich: nun, wenn auch; so muß er fliehen, und der Prinz gewinnt wenigstens Zeit.

DER PRINZ. Das hätten Sie gethan, Marinelli?

MARINELLI. Ha! man sollt' es voraus wissen, wenn man so thöricht bereit ist, sich für die Großen aufzuopfern – man sollt' es voraus wissen, wie erkenntlich sie seyn würden –

DER PRINZ. Und der Graf? – Er stehet in dem Rufe, sich so etwas nicht zweymal sagen zu lassen.

MARINELLI. Nachdem es fällt, ohne Zweifel. – Wer kann es ihm verdenken? – Er versetzte, daß er auf heute doch noch etwas wichtigers | zu thun habe, als sich mit mir den Hals zu brechen. Und so beschied er mich auf die ersten acht Tage nach der Hochzeit.

DER PRINZ. Mit Emilia Galotti! Der Gedanke macht mich rasend! – Darauf ließen Sie es gut seyn, und giengen: – und kommen und pralen, daß Sie Ihr Leben für mich in die Schanze geschlagen; sich mir aufgeopfert –

MARINELLI. Was wollen Sie aber, gnädiger Herr, das ich weiter hätte thun sollen?

DER PRINZ. Weiter thun? – Als ob er etwas gethan hätte!

MARINELLI. Und lassen Sie doch hören, gnädiger Herr, was Sie für sich selbst gethan haben. – Sie waren so glücklich, sie noch in der Kirche zu sprechen. Was haben Sie mit ihr abgeredet?

DER PRINZ. *(hönisch)* Neugierde zur Gnüge! – Die ich nur befriedigen muß. – O, es gieng alles nach Wunsch. – Sie brauchen sich nicht weiter zu bemühen, mein allzudienstfertiger | Freund! – Sie kam meinem Verlangen, mehr als halbes Weges, entgegen. Ich hätte sie nur gleich mitnehmen dürfen. *(kalt und befehlend)* Nun wissen Sie, was Sie wissen wollen; – und können gehn!

MARINELLI. Und können gehn! – Ja, ja; das ist das Ende

vom Liede! und würd' es seyn, gesetzt auch, ich wollte
noch das Unmögliche versuchen. – Das Unmögliche sag'
ich? – So unmöglich wär' es nun wohl nicht: aber kühn. –
Wenn wir die Braut in unserer Gewalt hätten: so stünd'
ich dafür, daß aus der Hochzeit nichts werden sollte.   5

DER PRINZ. Ey! wofür der Mann nicht alles stehen will!
Nun dürft' ich ihm nur noch ein Kommando von meiner
Leibwache geben, und er legte sich an der Landstraße damit in Hinterhalt, und fiele selbst funfziger einen Wagen
an, und riß ein Mädchen heraus, das er im Triumphe mir   10
zubrächte.

MARINELLI. Es ist eher ein Mädchen mit Gewalt entführt
worden, ohne daß es einer gewaltsamen Entführung
ähnlich gesehen. |

DER PRINZ. Wenn Sie das zu machen wüßten: so würden   15
Sie nicht erst lange davon schwatzen.

MARINELLI. Aber für den Ausgang müßte man nicht stehen sollen. – Es könnten sich Unglücksfälle dabey eräugnen –

DER PRINZ. Und es ist meine Art, daß ich Leute Dinge ver-   20
antworten lasse, wofür sie nicht können!

MARINELLI. Also, gnädiger Herr – *(man hört von weitem
einen Schuß)* Ha! was war das? – Hört' ich recht? – Hörten Sie nicht auch, gnädiger Herr, einen Schuß fallen? –
Und da noch einen!   25

DER PRINZ. Was ist das? was giebts?

MARINELLI. Was meynen Sie wohl? – Wie wann ich thätiger wäre, als Sie glauben?

DER PRINZ. Thätiger? – So sagen Sie doch –

MARINELLI. Kurz: wovon ich gesprochen, geschieht.   30

DER PRINZ. Ist es möglich? |

MARINELLI. Nur vergessen Sie nicht, Prinz, wessen Sie mich eben versichert. – Ich habe nochmals Ihr Wort – –

DER PRINZ. Aber die Anstalten sind doch so –

MARINELLI. Als sie nur immer seyn können! – Die Ausführung ist Leuten anvertrauet, auf die ich mich verlassen kann. Der Weg geht hart an der Planke des Thiergartens vorbey. Da wird ein Theil den Wagen angefallen haben, gleichsam, um ihn zu plündern. Und ein andrer Theil, wobey einer von meinen Bedienten ist, wird aus dem Thiergarten gestürzt seyn; den Angefallenen gleichsam zur Hülfe. Während des Handgemenges, in das beide Theile zum Schein gerathen, soll mein Bedienter Emilien ergreifen, als ob er sie retten wolle, und durch den Thiergarten in das Schloß bringen. – So ist die Abrede. – Was sagen Sie nun, Prinz?

DER PRINZ. Sie überraschen mich auf eine sonderbare Art. – Und eine Bangigkeit überfällt mich – *(Marinelli tritt an das Fenster)* Wornach sehen Sie? |

MARINELLI. Dahinaus muß es seyn! – Recht! – und eine Maske kömmt bereits um die Planke gesprengt; – ohne Zweifel, mir den Erfolg zu berichten. – Entfernen Sie sich, gnädiger Herr.

DER PRINZ. Ah, Marinelli –

MARINELLI. Nun? Nicht wahr, nun hab' ich zu viel gethan; und vorhin zu wenig?

DER PRINZ. Das nicht. Aber ich sehe bey alle dem nicht ab – –

MARINELLI. Absehn? – Lieber alles mit eins! – Geschwind entfernen Sie sich. – Die Maske muß Sie nicht sehen. *(der Prinz geht ab.)*

Zweyter Auftritt.

MARINELLI, *und bald darauf* ANGELO.

MARINELLI. *(der wieder nach dem Fenster geht)* Dort fährt
der Wagen langsam nach der Stadt zurück. – So langsam? Und in jedem Schlage ein Bedienter? – Das sind
Anzeigen, die mir nicht gefallen: – daß der Streich wohl
nur halb gelungen ist; – daß man einen Verwundeten
ge|mächlich zurückführet, – und keinen Todten. – Die
Maske steigt ab. – Es ist Angelo selbst. Der Tolldreiste! –
Endlich, hier weiß er die Schliche. – Er winkt mir zu. Er
muß seiner Sache gewiß seyn. – Ha, Herr Graf, der Sie
nicht nach Massa wollten, und nun noch einen weitern
Weg müssen! – Wer hatte Sie die Affen so kennen ge-
lehrt? *(indem er nach der Thüre zugeht)* Ja wohl sind sie
hämisch. – Nun Angelo?

ANGELO. *(der die Maske abgenommen)* Passen Sie auf, Herr
Kammerherr! Man muß sie gleich bringen.

MARINELLI. Und wie lief es sonst ab?

ANGELO. Ich denke ja, recht gut.

MARINELLI. Wie steht es mit dem Grafen?

ANGELO. Zu dienen! So, so! – Aber er muß Wind gehabt
haben. Denn er war nicht so ganz unbereitet.

MARINELLI. Geschwind sage mir, was Du mir zu sagen
hast! – Ist er todt?

ANGELO. Es thut mir leid um den guten Herrn.

MARINELLI. Nun da, für Dein mitleidiges Herz! *(giebt ihm
einen Beutel mit Gold.)* |

ANGELO. Vollends mein braver Nicolo! der das Bad mit be-
zahlen müssen.

MARINELLI. So? Verlust auf beiden Seiten?

ANGELO. Ich könnte weinen! um den ehrlichen Jungen! Ob mir sein Tod schon das *(indem er den Beutel in der Hand wiegt)* um ein Viertheil verbessert. Denn ich bin sein Erbe; weil ich ihn gerächet habe. Das ist so unser Gesetz: ein so gutes, meyn' ich, als für Treu und Freundschaft je gemacht worden. Dieser Nicolo, Herr Kammerherr –

MARINELLI. Mit deinem Nicolo! – Aber der Graf, der Graf –

ANGELO. Blitz! der Graf hatte ihn gut gefaßt. Dafür faßt' ich auch wieder den Grafen! – Er stürzte; und wenn er noch lebendig zurück in die Kutsche kam: so steh' ich dafür, daß er nicht lebendig wieder heraus kömmt.

MARINELLI. Wenn das nur gewiß ist, Angelo.

ANGELO. Ich will Ihre Kundschaft verlieren, wenn es nicht gewiß ist! – Haben Sie noch was zu befehlen? denn mein Weg ist der weiteste: wir wollen heute noch über die Gränze. |

MARINELLI. So geh.

ANGELO. Wenn wieder was vorfällt, Herr Kammerherr, – Sie wissen, wo ich zu erfragen bin. Was sich ein andrer zu thun getrauet, wird für mich auch keine Hexerey seyn. Und billiger bin ich, als jeder andere. *(geht ab.)*

MARINELLI. Gut das! – Aber doch nicht so recht gut. – Pfuy, Angelo! so ein Knicker zu seyn! Einen zweyten Schuß wäre er ja wohl noch werth gewesen. – Und wie er sich vielleicht nun martern muß, der arme Graf! – Pfuy, Angelo! Das heißt sein Handwerk sehr grausam treiben; – und verpfuschen. – Aber davon muß der Prinz noch nichts wissen. Er muß erst selbst finden, wie zuträglich ihm dieser Tod ist. – Dieser Tod! – Was gäb' ich um die Gewißheit! –

Dritter Auftritt.

DER PRINZ. MARINELLI.

DER PRINZ. Dort kömmt sie, die Allee herauf. Sie eilet vor dem Bedienten her. Die Furcht, wie es scheinet, beflügelt ihre Füße. Sie| muß noch nichts argwohnen. Sie glaubt sich nur vor Räubern zu retten. – Aber wie lange kann das dauern?

MARINELLI. So haben wir sie doch fürs erste.

DER PRINZ. Und wird die Mutter sie nicht aufsuchen? Wird der Graf ihr nicht nachkommen? Was sind wir alsdann weiter? Wie kann ich sie ihnen vorenthalten?

MARINELLI. Auf das alles weiß ich freylich noch nichts zu antworten. Aber wir müssen sehen. Gedulden Sie sich, gnädiger Herr. Der erste Schritt mußte doch gethan seyn. –

DER PRINZ. Wozu? wenn wir ihn zurückthun müssen.

MARINELLI. Vielleicht müssen wir nicht. – Da sind tausend Dinge, auf die sich weiter fußen läßt. – Und vergessen Sie denn das Vornehmste?

DER PRINZ. Was kann ich vergessen, woran ich sicher noch nicht gedacht habe? – Das Vornehmste? was ist das?

MARINELLI. Die Kunst zu gefallen, zu überreden, – die einem Prinzen, welcher liebt, nie fehlet.|

DER PRINZ. Nie fehlet? Außer, wo er sie gerade am nöthigsten brauchte. – Ich habe von dieser Kunst schon heut' einen zu schlechten Versuch gemacht. Mit allen Schmeicheleyen und Betheuerungen konnt' ich ihr auch nicht ein Wort auspressen. Stumm und niedergeschlagen und zitternd stand sie da; wie eine Verbrecherin, die ihr Todesurtheil höret. Ihre Angst steckte mich an, ich zitterte mit, und schloß mit einer Bitte um Vergebung. Kaum getrau' ich mir, sie wieder anzureden. – Bey ihrem Eintritte wenigstens wag' ich es nicht zu seyn. Sie, Marinelli, müssen sie empfangen. Ich will hier in der Nähe hören, wie es abläuft; und kommen, wenn ich mich mehr gesammelt habe.

Vierter Auftritt.

MARINELLI, *und bald darauf dessen Bedienter* BATTISTA *mit* EMILIEN.

MARINELLI. Wenn sie ihn nicht selbst stürzen gesehen – Und das muß sie wohl nicht; da sie so fortgeeilet – Sie kömmt. Auch ich will nicht | das erste seyn, was ihr hier in die Augen fällt. (*er zieht sich in einen Winkel des Saales zurück.*)

BATTISTA. Nur hier herein, gnädiges Fräulein.

EMILIA. (*außer Athem*) Ah! – Ah! – Ich danke ihm, mein Freund; – ich dank' ihm. – Aber Gott, Gott! wo bin ich? – Und so ganz allein? Wo bleibt meine Mutter? Wo blieb der Graf? – Sie kommen doch nach? mir auf dem Fuße nach?

BATTISTA. Ich vermuthe.

EMILIA. Er vermuthet? Er weiß es nicht? Er sah' sie nicht? – Ward nicht gar hinter uns geschossen? –

BATTISTA. Geschossen? – Das wäre! –

EMILIA. Ganz gewiß! Und das hat den Grafen, oder meine Mutter getroffen. –

BATTISTA. Ich will gleich nach Ihnen ausgehen.

EMILIA. Nicht ohne mich. – Ich will mit; ich muß mit: komm Er, mein Freund!

MARINELLI. *(der plötzlich herzu tritt, als ob er eben herein käme)* Ah, gnädiges Fräulein! Was für ein Unglück, oder vielmehr, was für ein Glück, –| was für ein glückliches Unglück verschafft uns die Ehre –

EMILIA. *(stutzend)* Wie? Sie hier, mein Herr? – Ich bin also wohl bey Ihnen? – Verzeihen Sie, Herr Kammerherr. Wir sind von Räubern ohnfern überfallen worden. Da kamen uns gute Leute zu Hülfe; – und dieser ehrliche Mann hob mich aus dem Wagen, und brachte mich hierher. – Aber ich erschrecke, mich allein gerettet zu sehen. Meine Mutter ist noch in der Gefahr. Hinter uns ward sogar geschossen. Sie ist vielleicht todt; – und ich lebe? – Verzeihen Sie. Ich muß fort; ich muß wieder hin, – wo ich gleich hätte bleiben sollen.

MARINELLI. Beruhigen Sie sich, gnädiges Fräulein. Es stehet alles gut; sie werden bald bey Ihnen seyn, die geliebten Personen, für die Sie so viel zärtliche Angst empfinden. – Indeß, Battista, geh', lauf: sie dürften vielleicht nicht wissen, wo das Fräulein ist. Sie dürften sie vielleicht in einem von den Wirthschaftshäusern des Gartens suchen. Bringe sie unverzüglich hierher. *(Battista geht ab.)*|

EMILIA. Gewiß? Sind sie alle geborgen? ist ihnen nichts wiederfahren? – Ah, was ist dieser Tag für ein Tag des Schreckens für mich! – Aber ich sollte nicht hier bleiben; ich sollte ihnen entgegen eilen –

MARINELLI. Wozu das, gnädiges Fräulein? Sie sind ohnedem schon ohne Athem und Kräfte. Erholen Sie sich

vielmehr, und geruhen in ein Zimmer zu treten, wo
mehr Bequemlichkeit ist. – Ich will wetten, daß der
Prinz schon selbst um Ihre theuere ehrwürdige Mutter
ist, und sie Ihnen zuführet.

EMILIA. Wer, sagen Sie?

MARINELLI. Unser gnädigster Prinz selbst.

EMILIA. *(äußerst bestürzt)* Der Prinz?

MARINELLI. Er floh, auf die erste Nachricht, Ihnen zu Hülfe. – Er ist höchst ergrimmt, daß ein solches Verbrechen
ihm so nahe, unter seinen Augen gleichsam hat dürfen
gewagt werden. Er läßt den Thätern nachsetzen, und ihre Strafe, wenn sie ergriffen werden, wird unerhört seyn.

EMILIA. Der Prinz! – Wo bin ich denn also? |

MARINELLI. Auf Dosalo, dem Lustschlosse des Prinzen.

EMILIA. Welch ein Zufall! – Und Sie glauben, daß er gleich
selbst erscheinen könne? – Aber doch in Gesellschaft
meiner Mutter?

MARINELLI. Hier ist er schon?

Fünfter Auftritt.

DER PRINZ. EMILIA. MARINELLI.

DER PRINZ. Wo ist sie? wo? – Wir suchen Sie überall,
schönstes Fräulein. – Sie sind doch wohl? – Nun so ist alles wohl! Der Graf, Ihre Mutter, –

EMILIA. Ah, gnädigster Herr! wo sind sie? Wo ist meine
Mutter?

DER PRINZ. Nicht weit; hier ganz in der Nähe.

EMILIA. Gott, in welchem Zustande werde ich die eine,

oder den andern, vielleicht treffen! Ganz gewiß treffen! – denn Sie verheelen mir, gnädiger Herr – ich seh' es, Sie verheelen mir – |

DER PRINZ. Nicht doch, bestes Fräulein. – Geben Sie mir Ihren Arm, und folgen Sie mir getrost.

EMILIA. *(unentschlossen)* Aber – wenn ihnen nichts wiederfahren – wenn meine Ahnungen mich trügen: – warum sind sie nicht schon hier? Warum kamen sie nicht mit Ihnen, gnädiger Herr?

DER PRINZ. So eilen Sie doch, mein Fräulein, alle diese Schreckenbilder mit eins verschwinden zu sehen. –

EMILIA. Was soll ich thun! *(die Hände ringend)*

DER PRINZ. Wie, mein Fräulein? Sollten Sie einen Verdacht gegen mich hägen? –

EMILIA. *(die vor ihm niederfällt)* Zu Ihren Füßen, gnädiger Herr –

DER PRINZ. *(sie aufhebend)* Ich bin äußerst beschämt. – Ja, Emilia, ich verdiene diesen stummen Vorwurf. – Mein Betragen diesen Morgen, ist nicht zu rechtfertigen: – zu entschuldigen höchstens. Verzeihen Sie meiner Schwachheit. Ich hätte Sie mit keinem Geständnisse beunruhigen sollen, von dem ich keinen Vortheil zu erwar|ten habe. Auch ward ich durch die sprachlose Bestürzung, mit der Sie es anhörten, genugsam bestraft. – Und könnt' ich schon diesen Zufall, der mir nochmals, ehe alle meine Hoffnung auf ewig verschwindet, – mir nochmals das Glück Sie zu sehen und zu sprechen verschafft; könnt' ich schon diesen Zufall für den Wink eines günstigen Glückes erklären, – für den wunderbarsten Aufschub meiner endlichen Verurtheilung erklären, um nochmals um Gnade flehen zu dürfen: so

will ich doch – Beben Sie nicht, mein Fräulein – einzig
und allein von Ihrem Blicke abhangen. Kein Wort, kein
Seufzer, soll Sie beleidigen. – Nur kränke mich nicht Ihr
Mißtrauen. Nur zweifeln Sie keinen Augenblick an der
unumschränktesten Gewalt, die Sie über mich haben.
Nur falle Ihnen nie bey, daß Sie eines andern Schutzes
gegen mich bedürfen. – Und nun kommen Sie, mein
Fräulein, – kommen Sie, wo Entzückungen auf Sie warten, die Sie mehr billigen. *(er führt sie, nicht ohne Sträu-
ben, ab.)* Folgen Sie uns, Marinelli. –|

MARINELLI. Folgen Sie uns, – das mag heißen: folgen Sie
uns nicht! – Was hätte ich ihnen auch zu folgen? Er mag
sehen, wie weit er es unter vier Augen mit ihr bringt. –
Alles, was ich zu thun habe, ist, – zu verhindern, daß sie
nicht gestöret werden. Von dem Grafen zwar, hoffe ich
nun wohl nicht. Aber von der Mutter; von der Mutter!
Es sollte mich sehr wundern, wenn die so ruhig abgezo-
gen wäre, und ihre Tochter im Stiche gelassen hätte. –
Nun, Battista? was giebts?

Sechster Auftritt.

BATTISTA. MARINELLI.

BATTISTA. *(eiligst)* Die Mutter, Herr Kammerherr –
MARINELLI. Dacht' ichs doch! – Wo ist sie?
BATTISTA. Wann Sie ihr nicht zuvorkommen, so wird sie
den Augenblick hier seyn. – Ich war gar nicht Willens,
wie Sie mir zum Schein gebothen, mich nach ihr umzu-
sehen: als ich ihr Geschrey von weitem hörte. Sie ist der

Tochter | auf der Spur, und wo nur nicht – unserm ganzen Anschlage! Alles, was in dieser einsamen Gegend von Menschen ist, hat sich um sie versammelt; und jeder will der seyn, der ihr den Weg weiset. Ob man ihr schon gesagt, daß der Prinz hier ist, daß Sie hier sind, weiß ich nicht. – Was wollen Sie thun?

MARINELLI. Laß sehen! – *(er überlegt)* Sie nicht einlassen, wenn sie weiß, daß die Tochter hier ist? – Das geht nicht. – Freylich, sie wird Augen machen, wenn sie den Wolf bey dem Schäfchen sieht. – Augen? Das möchte noch seyn. Aber der Himmel sey unsern Ohren gnädig! – Nun was? die beste Lunge erschöpft sich; auch so gar eine weibliche. Sie hören alle auf zu schreyen, wenn sie nicht mehr können. – Dazu, es ist doch einmal die Mutter, die wir auf unserer Seite haben müssen. – Wenn ich die Mütter recht kenne: – so etwas von einer Schwiegermutter eines Prinzen zu seyn, schmeichelt die meisten. – Laß sie kommen, Battista, laß sie kommen!

BATTISTA. Hören Sie! hören Sie! |

CLAUDIA GALOTTI. *(innerhalb)* Emilia! Emilia! Mein Kind, wo bist du?

MARINELLI. Geh, Battista, und suche nur ihre neugierigen Begleiter zu entfernen.

Siebenter Auftritt.

CLAUDIA GALOTTI. BATTISTA. MARINELLI.

CLAUDIA. *(die in die Thüre tritt, indem Battista heraus gehen will)* Ha! der hob sie aus dem Wagen! Der führte sie

fort! Ich erkenne Dich. Wo ist sie? Sprich, Unglücklicher!

BATTISTA. Das ist mein Dank?

CLAUDIA. O, wenn Du Dank verdienest: *(in einem gelin-*
den Tone) – so verzeihe mir, ehrlicher Mann! – Wo ist
sie? – Laßt mich sie nicht länger entbehren. Wo ist sie?

BATTISTA. O, Ihre Gnaden, Sie könnte in dem Schooße der
Seligkeit nicht aufgehobner seyn. – Hier mein Herr wird
Ihre Gnaden zu ihr führen. *(gegen einige Leute, welche*
nachdringen wollen) Zurück da! ihr! |

Achter Auftritt.

CLAUDIA GALOTTI. MARINELLI.

CLAUDIA. Dein Herr? – *(erblickt den Marinelli und fährt*
zurück) Ha! – Das dein Herr? – Sie hier, mein Herr? Und
hier meine Tochter? Und Sie, Sie sollen mich zu ihr führen?

MARINELLI. Mit vielem Vergnügen, gnädige Frau.

CLAUDIA. Halten Sie! – Eben fällt mir es bey – Sie waren es
ja – nicht? – Der den Grafen diesen Morgen in meinem
Hause aufsuchte? mit dem ich ihn allein ließ? mit dem
er Streit bekam?

MARINELLI. Streit? – Was ich nicht wüßte: ein unbedeu-
tender Wortwechsel in herrschaftlichen Angelegenhei-
ten –

CLAUDIA. Und Marinelli heißen Sie?

MARINELLI. Marchese Marinelli.

CLAUDIA. So ist es richtig. – Hören Sie doch, Herr Marche-

se. – Marinelli war – der Name Marinelli war – begleitet
mit einer Verwünschung – Nein, daß ich den edeln
Mann | nicht verleumde! – begleitet mit keiner Verwün-
schung – Die Verwünschung denk' ich hinzu. – Der Name Marinelli war das letzte Wort des sterbenden Grafen. 5

MARINELLI. Des sterbenden Grafen? Grafen Appiani? –
Sie hören, gnädige Frau, was mir in Ihrer seltsamen Rede
am meisten auffällt. – Des sterbenden Grafen? – Was Sie
sonst sagen wollen, versteh' ich nicht.

CLAUDIA. *(bitter und langsam)* Der Name Marinelli war 10
das letzte Wort des sterbenden Grafen! – Verstehen Sie
nun? – Ich verstand es erst auch nicht: ob schon mit einem Tone gesprochen – mit einem Tone! – Ich höre ihn
noch! Wo waren meine Sinne, daß sie diesen Ton nicht
sogleich verstanden? 15

MARINELLI. Nun, gnädige Frau? – Ich war von je her des
Grafen Freund; sein vertrautester Freund. Also, wenn er
mich noch im Sterben nannte –

CLAUDIA. Mit dem Tone? – Ich kann ihn nicht nachma-
chen; ich kann ihn nicht beschreiben: aber er enthielt al- 20
les! alles! – Was? Räuber | wären es gewesen, die uns
anfielen? – Mörder waren es; erkaufte Mörder! – Und
Marinelli, Marinelli war das letzte Wort des sterbenden
Grafen! Mit einem Tone!

MARINELLI. Mit einem Tone? – Ist es erhört, auf einen 25
Ton, in einem Augenblicke des Schreckens vernommen,
die Anklage eines rechtschaffnen Mannes zu gründen?

CLAUDIA. Ha, könnt' ich ihn nur vor Gerichte stellen, diesen Ton! – Doch, weh mir! Ich vergesse darüber meine
Tochter. – Wo ist sie? – Wie? auch todt? – Was konnte 30
meine Tochter dafür, daß Appiani dein Feind war?

MARINELLI. Ich verzeihe der bangen Mutter. – Kommen
Sie, gnädige Frau – Ihre Tochter ist hier; in einem von
den nächsten Zimmern: und hat sich hoffentlich von ihrem Schrecken schon völlig erholt. Mit der zärtlichsten
5 Sorgfalt ist der Prinz selbst um sie beschäfftiget –

CLAUDIA. Wer? – Wer selbst?

MARINELLI. Der Prinz.|

CLAUDIA. Der Prinz? – Sagen Sie wirklich, der Prinz? –
Unser Prinz?

10 MARINELLI. Welcher sonst?

CLAUDIA. Nun dann! – Ich unglückselige Mutter! – Und
ihr Vater! ihr Vater! – Er wird den Tag ihrer Geburt verfluchen. Er wird mich verfluchen.

MARINELLI. Um des Himmels willen, gnädige Frau! Was
15 fällt Ihnen nun ein?

CLAUDIA. Es ist klar! – Ist es nicht? – Heute im Tempel!
vor den Augen der Allerreinesten! in der nähern Gegenwart des Ewigen! – begann das Bubenstück; da brach es
aus! *(gegen den Marinelli)* Ha, Mörder! feiger, elender
20 Mörder! Nicht tapfer genug, mit eigner Hand zu morden: aber nichtswürdig genug, zu Befriedigung eines
fremden Kitzels zu morden! – morden zu lassen! – Ab-
schaum aller Mörder! – Was ehrliche Mörder sind, werden dich unter sich nicht dulden! Dich! Dich! – Denn
25 warum soll ich dir nicht alle meine Galle, allen meinen
Geifer mit einem einzigen Worte ins Gesicht speyen? –
Dich! Dich Kuppler!|

MARINELLI. Sie schwärmen, gute Frau. – Aber mäßigen
Sie wenigstens Ihr wildes Geschrey, und bedenken Sie,
30 wo Sie sind.

CLAUDIA. Wo ich bin? Bedenken, wo ich bin? – Was kümmert es die Löwinn, der man die Jungen geraubet, in wessen Walde sie brüllet?

EMILIA. *(innerhalb)* Ha, meine Mutter! Ich höre meine Mutter!

CLAUDIA. Ihre Stimme? Das ist sie! Sie hat mich gehört; sie hat mich gehört. Und ich sollte nicht schreyen? – Wo bist du, mein Kind? Ich komme, ich komme! *(Sie stürzt in das Zimmer, und Marinelli ihr nach.)* |

Vierter Aufzug.

(Die Scene bleibt.)

Erster Auftritt.

DER PRINZ. MARINELLI.

5 DER PRINZ. *(als aus dem Zimmer von Emilien kommend)*
Kommen Sie, Marinelli! Ich muß mich erholen – und
muß Licht von Ihnen haben.

MARINELLI. O der mütterlichen Wut! Ha! ha! ha!

DER PRINZ. Sie lachen?

10 MARINELLI. Wenn Sie gesehen hätten, Prinz, wie toll sich
hier, hier im Saale, die Mutter gebehrdete – Sie hörten sie
ja wohl schreyen! – und wie zahm sie auf einmal ward,
bey dem ersten Anblicke von Ihnen – – Ha! ha! – Das
weiß ich ja wohl, daß keine Mutter einem Prinzen die

15 Augen auskratzt, weil er ihre Tochter schön findet.

DER PRINZ. Sie sind ein schlechter Beobachter! – Die
Tochter stürzte der Mutter ohn|mächtig in die Arme.
Darüber vergaß die Mutter ihre Wuth: nicht über mir.
Ihre Tochter schonte sie, nicht mich; wenn sie es nicht

20 lauter, nicht deutlicher sagte, – was ich lieber selbst nicht
gehört, nicht verstanden haben will.

MARINELLI. Was, gnädiger Herr?

DER PRINZ. Wozu die Verstellung? – Heraus damit. Ist es
wahr? oder ist es nicht wahr?

25 MARINELLI. Und wenn es denn wäre!

DER PRINZ. Wenn es denn wäre? – Also ist es? – Er ist
todt? todt? – *(drohend)* Marinelli! Marinelli!

MARINELLI. Nun?

DER PRINZ. Bey Gott! bey dem allgerechten Gott! ich bin unschuldig an diesem Blute. – Wenn Sie mir vorher gesagt hätten, daß es dem Grafen das Leben kosten werde – Nein, nein! und wenn es mir selbst das Leben gekostet hätte! –

MARINELLI. Wenn ich Ihnen vorher gesagt hätte? – Als ob sein Tod in meinem Plane gewesen wäre! Ich hatte es dem Angelo auf die Seele gebunden, zu verhüten, daß niemanden Leides geschähe. Es würde auch ohne die geringste | Gewaltthätigkeit abgelaufen seyn, wenn sich der Graf nicht die erste erlaubt hätte. Er schoß Knall und Fall den einen nieder.

DER PRINZ. Wahrlich; er hätte sollen Spaß verstehen!

MARINELLI. Daß Angelo sodann in Wuth kam, und den Tod seines Gefährten rächte –

DER PRINZ. Freylich, das ist sehr natürlich!

MARINELLI. Ich hab' es ihm genug verwiesen.

DER PRINZ. Verwiesen? Wie freundschaftlich! – Warnen Sie ihn, daß er sich in meinem Gebiethe nicht betreten läßt. Mein Verweiß möchte so freundschaftlich nicht seyn.

MARINELLI. Recht wohl! – Ich und Angelo; Vorsatz und Zufall: alles ist eins. – Zwar ward es voraus bedungen, zwar ward es voraus versprochen, daß keiner der Unglücksfälle, die sich dabey eräugnen könnten, mir zu Schulden kommen solle –

DER PRINZ. Die sich dabey eräugnen – könnten, sagen Sie? oder sollten?

MARINELLI. Immer besser! – Doch, gnädiger Herr, – ehe Sie mir es mit dem trocknen| Worte sagen, wofür Sie mich halten – eine einzige Vorstellung! Der Tod des Gra-

fen ist mir nichts weniger, als gleichgültig. Ich hatte ihn
ausgefodert; er war mir Genugthuung schuldig, er ist
ohne diese aus der Welt gegangen; und meine Ehre
bleibt beleidiget. Gesetzt, ich verdiente unter jeden andern Umständen den Verdacht, den Sie gegen mich hägen: aber auch unter diesen? – *(mit einer angenommenen
Hitze)* Wer das von mir denken kann! –

DER PRINZ. *(nachgebend)* Nun gut, nun gut –

MARINELLI. Daß er noch lebte! O daß er noch lebte! Alles,
alles in der Welt wollte ich darum geben – *(bitter)* selbst
die Gnade meines Prinzen, – diese unschätzbare, nie zu
verscherzende Gnade – wollt' ich drum geben!

DER PRINZ. Ich verstehe. – Nun gut, nun gut. Sein Tod war
Zufall, bloßer Zufall. Sie versichern es; und ich, ich
glaub' es. – Aber wer mehr? Auch die Mutter? Auch
Emilia? – Auch die Welt?

MARINELLI. *(kalt)* Schwerlich. |

DER PRINZ. Und wenn man es nicht glaubt, was wird man
denn glauben? – Sie zucken die Achsel? – Ihren Angelo
wird man für das Werkzeug, und mich für den Thäter
halten –

MARINELLI. *(noch kälter)* Wahrscheinlich genug.

DER PRINZ. Mich! mich selbst! – Oder ich muß von Stund
an alle Absicht auf Emilien aufgeben –

MARINELLI. *(höchst gleichgültig)* Was Sie auch gemußt
hätten – wenn der Graf noch lebte. –

DER PRINZ. *(heftig, aber sich gleich wieder fassend)* Marinelli! – Doch, Sie sollen mich nicht wild machen. – Es sey
so – Es ist so! Und das wollen Sie doch nur sagen: der
Tod des Grafen ist für mich ein Glück – Das größte
Glück, was mir begegnen konnte, – das einzige Glück,

was meiner Liebe zu statten kommen konnte. Und als dieses, – mag er doch geschehen seyn, wie er will! – Ein Graf mehr in der Welt, oder weniger! Denke ich Ihnen so recht? – Topp! auch ich erschrecke vor einem kleinen Verbrechen nicht. Nur, guter Freund, muß es ein kleines stilles Verbrechen, ein kleines heilsames Verbrechen seyn. Und | sehen Sie, unseres da, wäre nun gerade weder stille noch heilsam. Es hätte den Weg zwar gereiniget, aber zugleich gesperrt. Jedermann würde es uns auf den Kopf zusagen, – und leider hätten wir es gar nicht einmal begangen! – Das liegt doch wohl nur blos an Ihren weisen, wunderbaren Anstalten?

MARINELLI. Wenn Sie so befehlen –

DER PRINZ. Woran sonst? – Ich will Rede!

MARINELLI. Es kömmt mehr auf meine Rechnung, was nicht darauf gehört.

DER PRINZ. Rede will ich!

MARINELLI. Nun dann. Was läge an meinen Anstalten? daß den Prinzen bey diesem Unfalle ein so sichtbarer Verdacht trifft? – An dem Meisterstreiche liegt das, den er selbst meinen Anstalten mit einzumengen die Gnade hatte.

DER PRINZ. Ich?

MARINELLI. Er erlaube mir, ihm zu sagen, daß der Schritt, den er heute Morgen in der Kirche gethan, – mit so vielem Anstande er ihn auch gethan – so unvermeidlich er ihn auch thun mußte – daß dieser Schritt dennoch nicht in den Tanz gehörte. |

DER PRINZ. Was verdarb er denn auch?

MARINELLI. Freylich nicht den ganzen Tanz; aber doch voritzo den Takt.

DER PRINZ. Hm! Versteh' ich Sie?

MARINELLI. Also, kurz und einfältig. Da ich die Sache
übernahm, nicht wahr, da wußte Emilia von der Liebe
des Prinzen noch nichts? Emiliens Mutter noch weniger.
Wenn ich nun auf diesen Umstand baute? und der Prinz
indeß den Grund meines Gebäudes untergrub? –

DER PRINZ. *(sich vor die Stirne schlagend)* Verwünscht!

MARINELLI. Wenn er es nun selbst verriethe, was er im
Schilde führe?

DER PRINZ. Verdammter Einfall!

MARINELLI. Und wenn er es nicht selbst verrathen hätte? – Traun! Ich möchte doch wissen, aus welcher meiner Anstalten, Mutter oder Tochter den geringsten Argwohn gegen ihn schöpfen könnte?

DER PRINZ. Daß Sie Recht haben!

MARINELLI. Daran thu' ich freylich sehr Unrecht – Sie
werden verzeihen, gnädiger Herr –|

Zweyter Auftritt.

BATTISTA. DER PRINZ. MARINELLI.

BATTISTA. *(eiligst)* Eben kömmt die Gräfinn an.

DER PRINZ. Die Gräfinn? Was für eine Gräfinn?

BATTISTA. Orsina.

DER PRINZ. Orsina? – Marinelli! – Orsina? – Marinelli!

MARINELLI. Ich erstaune darüber, nicht weniger als Sie
selbst.

DER PRINZ. Geh, lauf, Battista: sie soll nicht aussteigen.
Ich bin nicht hier. Ich bin für sie nicht hier. Sie soll au-

genblicklich wieder umkehren. Geh, lauf! – *(Battista geht ab)* Was will die Närrinn? Was untersteht sie sich? Wie weiß sie, daß wir hier sind? Sollte sie wohl auf Kundschaft kommen? Sollte sie wohl schon etwas vernommen haben? – Ah, Marinelli! So reden Sie, so antworten Sie doch! – Ist er beleidiget der Mann, der mein Freund seyn will? Und durch einen elenden Wortwechsel beleidiget? Soll ich ihn um Verzeihung bitten? |

MARINELLI. Ah, mein Prinz, so bald Sie wieder Sie sind, bin ich mit ganzer Seele wieder der Ihrige! – Die Ankunft der Orsina ist mir ein Räthsel, wie Ihnen. Doch abweisen wird sie schwerlich sich lassen. Was wollen Sie thun?

DER PRINZ. Sie durchaus nicht sprechen; mich entfernen –

MARINELLI. Wohl! und nur geschwind. Ich will sie empfangen –

DER PRINZ. Aber blos, um sie gehen zu heißen. – Weiter geben Sie mit ihr sich nicht ab. Wir haben andere Dinge hier zu thun –

MARINELLI. Nicht doch, Prinz! Diese andern Dinge sind gethan. Fassen Sie doch Muth! Was noch fehlt, kömmt sicherlich von selbst. – Aber hör' ich sie nicht schon? – Eilen Sie, Prinz! – Da, *(auf ein Kabinett zeigend, in welches sich der Prinz begiebt)* wenn Sie wollen, werden Sie uns hören können. – Ich fürchte, ich fürchte, sie ist nicht zu ihrer besten Stunde ausgefahren. |

Dritter Auftritt.

DIE GRÄFINN ORSINA. MARINELLI.

ORSINA. *(ohne den Marinelli anfangs zu erblicken)* Was ist
das? – Niemand kömmt mir entgegen, außer ein Unverschämter, der mir lieber gar den Eintritt verweigert hätte? – Ich bin doch zu Dosalo? Zu dem Dosalo, wo mir
sonst ein ganzes Heer geschäfftiger Augendiener entgegen stürzte? wo mich sonst Lieb' und Entzücken erwar-
teten? – Der Ort ist es: aber, aber! – Sieh' da, Marinelli! –
Recht gut, daß der Prinz Sie mitgenommen. – Nein,
nicht gut! Was ich mit ihm auszumachen hätte, hätte ich
nur mit ihm auszumachen. – Wo ist er?

MARINELLI. Der Prinz, meine gnädige Gräfinn?

ORSINA. Wer sonst?

MARINELLI. Sie vermuthen ihn also hier? wissen ihn
hier? – Er wenigstens ist der Gräfinn Orsina hier nicht
vermuthend.

ORSINA. Nicht? So hat er meinen Brief heute Morgen nicht
erhalten?|

MARINELLI. Ihren Brief? Doch ja; ich erinnere mich, daß
er eines Briefes von Ihnen erwähnte.

ORSINA. Nun? habe ich ihn nicht in diesem Briefe auf heute um eine Zusammenkunft hier auf Dosalo gebeten? –
Es ist wahr, es hat ihm nicht beliebet, mir schriftlich zu
antworten. Aber ich erfuhr, daß er eine Stunde darauf
wirklich nach Dosalo abgefahren. Ich glaubte, daß sey
Antworts genug; und ich komme.

MARINELLI. Ein sonderbarer Zufall!

ORSINA. Zufall? – Sie hören ja, daß es verabredet worden.

So gut, als verabredet. Von meiner Seite, der Brief: von seiner, die That. – Wie er da steht, der Herr Marchese! Was er für Augen macht! Wundert sich das Gehirnchen? und worüber denn?

MARINELLI. Sie schienen gestern so weit entfernt, dem Prinzen jemals wieder vor die Augen zu kommen.

ORSINA. Beßrer Rath kömmt über Nacht. – Wo ist er? wo ist er? – Was gilts, er ist in dem Zimmer, wo ich das Gequicke, das Gekreu|sche hörte? – Ich wollte herein, und der Schurke vom Bedienten trat vor.

MARINELLI. Meine liebste, beste Gräfinn –

ORSINA. Es war ein weibliches Gekreusche. Was gilts, Marinelli? – O sagen Sie mir doch, sagen Sie mir – wenn ich anders Ihre liebste, beste Gräfinn bin – Verdammt, über das Hofgeschmeiß! So viel Worte, so viel Lügen! – Nun, was liegt daran, ob Sie mir es voraus sagen, oder nicht? Ich werd' es ja wohl sehen. *(will gehen.)*

MARINELLI. *(der sie zurück hält)* Wohin?

ORSINA. Wo ich längst seyn sollte. – Denken Sie, daß es schicklich ist, mit Ihnen hier in dem Vorgemache einen elenden Schnickschnack zu halten, indeß der Prinz in dem Gemache auf mich wartet?

MARINELLI. Sie irren sich, gnädige Gräfinn. Der Prinz erwartet Sie nicht. Der Prinz kann Sie hier nicht sprechen, – will Sie nicht sprechen.

ORSINA. Und wäre doch hier? und wäre doch auf meinen Brief hier? |

MARINELLI. Nicht auf Ihren Brief –

ORSINA. Den er ja erhalten, sagen Sie –

MARINELLI. Erhalten, aber nicht gelesen.

ORSINA. *(heftig)* Nicht gelesen? – *(minder heftig)* Nicht gelesen? – *(wehmüthig, und eine Thräne aus dem Auge wi-schend)* Nicht einmal gelesen?

MARINELLI. Aus Zerstreuung, weiß ich, – Nicht aus Ver-achtung.

ORSINA. *(stolz)* Verachtung? – Wer denkt daran? – Wem brauchen Sie das zu sagen? – Sie sind ein unverschämter Tröster, Marinelli! – Verachtung! Verachtung! Mich ver-achtet man auch! mich! – *(gelinder, bis zum Tone der Schwermuth)* Freylich liebt er mich nicht mehr. Das ist ausgemacht. Und an die Stelle der Liebe trat in seiner Seele etwas anders. Das ist natürlich. Aber warum denn eben Verachtung? Es braucht ja nur Gleichgültigkeit zu seyn. Nicht wahr, Marinelli?

MARINELLI. Allerdings, allerdings.

ORSINA. *(höhnisch)* Allerdings? – O des weisen Mannes, den man sagen lassen kann, was man will! – Gleichgül-tigkeit! Gleichgültigkeit | an die Stelle der Liebe? – Das heißt, Nichts an die Stelle von Etwas. Denn lernen Sie, nachplauderndes Hofmännchen, lernen Sie von einem Weibe, daß Gleichgültigkeit ein leeres Wort, ein bloßer Schall ist, dem nichts, gar nichts entspricht. Gleichgültig ist die Seele nur gegen das, woran sie nicht denkt; nur gegen ein Ding, das für sie kein Ding ist. Und nur gleich-gültig für ein Ding, das kein Ding ist, – das ist so viel, als gar nicht gleichgültig. – Ist dir das zu hoch, Mensch?

MARINELLI. *(vor sich)* O weh! wie wahr ist es, was ich fürchtete.

ORSINA. Was murmeln Sie da?

MARINELLI. Lauter Bewunderung! – Und wem ist es nicht bekannt, gnädige Gräfinn, daß Sie eine Philosophinn sind?

ORSINA. Nicht wahr? – Ja, ja; ich bin eine. – Aber habe ich
mir es itzt merken lassen, daß ich eine bin? – O pfuy,
wenn ich mir es habe merken lassen; und wenn ich mir
es öftrer habe merken lassen! Ist es wohl noch Wunder,
daß mich der Prinz verachtet? Wie kann ein | Mann ein 5
Ding lieben, das, ihm zum Trotze, auch denken will? Ein
Frauenzimmer, das denket, ist eben so ekel als ein Mann,
der sich schminket. Lachen soll es, nichts als lachen, um
immerdar den gestrengen Herrn der Schöpfung, bey guter Laune zu erhalten. – Nun, worüber lach' ich denn 10
gleich, Marinelli? – Ach, ja wohl! Ueber den Zufall! daß
ich dem Prinzen schreibe, er soll nach Dosalo kommen;
daß der Prinz meinen Brief nicht lieset, und daß er doch
nach Dosalo kömmt. Ha! ha! ha! Wahrlich ein sonderbarer Zufall! Sehr lustig, sehr närrisch! – Und Sie lachen 15
nicht mit, Marinelli? – Mitlachen kann ja wohl der ge-
strenge Herr der Schöpfung, ob wir arme Geschöpfe
gleich nicht mitdenken dürfen. – *(ernsthaft und befeh-
lend)* So lachen Sie doch!

MARINELLI. Gleich, gnädige Gräfinn, gleich! 20

ORSINA. Stock! Und darüber geht der Augenblick vorbey.
Nein, nein, lachen Sie nur nicht. – Denn sehen Sie, Marinelli, *(nachdenkend bis zur Rührung)* was mich so herzlich zu lachen macht, das hat auch seine ernsthafte – sehr
ernsthafte Seite. Wie alles in der Welt! – Zufall? | Ein 25
Zufall wär' es, daß der Prinz nicht daran gedacht, mich
hier zu sprechen, und mich doch hier sprechen muß?
Ein Zufall? – Glauben Sie mir, Marinelli: das Wort Zufall
ist Gotteslästerung. Nichts unter der Sonne ist Zufall; –
am wenigsten das, wovon die Absicht so klar in die Au- 30
gen leuchtet. – Allmächtige, allgütige Vorsicht, vergieb

mir, daß ich mit diesem albernen Sünder einen Zufall
genennet habe, was so offenbar dein Werk, wohl gar
dein unmittelbares Werk ist! – *(hastig gegen Marinelli)*
Kommen Sie mir, und verleiten Sie mich noch einmal zu
so einem Frevel!

MARINELLI. *(vor sich)* Das geht weit! – Aber gnädige Gräfinn –

ORSINA. Still mit dem Aber! Die Aber kosten Ueberlegung: – und mein Kopf! mein Kopf! *(sich mit der Hand
die Stirne haltend)* – Machen Sie, Marinelli, machen Sie,
daß ich ihn bald spreche, den Prinzen; sonst bin ich es
wohl gar nicht im Stande. – Sie sehen, wir sollen uns
sprechen; wir müssen uns sprechen –|

Vierter Auftritt.

DER PRINZ. ORSINA. MARINELLI.

DER PRINZ. *(indem er aus dem Kabinette tritt, vor sich)* Ich
muß ihm zu Hülfe kommen –

ORSINA. *(die ihn erblickt, aber unentschlüßig bleibt, ob sie
auf ihn zu gehn soll)* Ha! da ist er.

DER PRINZ. *(geht queer über den Saal, bey ihr vorbey, nach
den andern Zimmern, ohne sich im Reden aufzuhalten)*
Sieh da! unsere schöne Gräfinn. – Wie sehr betaure ich,
Madame, daß ich mir die Ehre Ihres Besuchs für heute so
wenig zu Nutze machen kann! Ich bin beschäfftiget. Ich
bin nicht allein. – Ein andermal, meine liebe Gräfinn!
Ein andermal. – Itzt halten Sie länger sich nicht auf. Ja
nicht länger! – Und Sie, Marinelli, ich erwarte Sie. –

Fünfter Auftritt.

ORSINA. MARINELLI.

MARINELLI. Haben Sie es, gnädige Gräfinn, nun von ihm selbst gehört, was Sie mir nicht glauben wollen? |

ORSINA. *(wie betäubt)* Hab' ich, hab' ich wirklich?

MARINELLI. Wirklich.

ORSINA. *(mit Rührung)* »Ich bin beschäfftiget. Ich bin nicht allein« Ist das die Entschuldigung ganz, die ich werth bin? Wen weiset man damit nicht ab? Jeden Ueberlästigen, jeden Bettler. Für mich keine einzige Lüge mehr? Keine einzige kleine Lüge mehr, für mich? – Beschäfftiget? womit denn? Nicht allein? wer wäre denn bey ihm? – Kommen Sie, Marinelli; aus Barmherzigkeit, lieber Marinelli! Lügen Sie mir eines auf eigene Rechnung vor. Was kostet Ihnen denn eine Lüge? – Was hat er zu thun? Wer ist bey ihm? – Sagen Sie mir; sagen Sie mir, was Ihnen zuerst in den Mund kömmt, – und ich gehe.

MARINELLI. *(vor sich)* Mit dieser Bedingung, kann ich ihr ja wohl einen Theil der Wahrheit sagen.

ORSINA. Nun? Geschwind, Marinelli; und ich gehe. – Er sagte ohnedem, der Prinz: »Ein andermal, meine liebe Gräfinn!« Sagte er nicht | so? – Damit er mir Wort hält, damit er keinen Vorwand hat, mir nicht Wort zu halten: geschwind, Marinelli, Ihre Lüge; und ich gehe.

MARINELLI. Der Prinz, liebe Gräfinn, ist wahrlich nicht allein. Es sind Personen bey ihm, von denen er sich keinen Augenblick abmüßigen kann; Personen, die eben einer großen Gefahr entgangen sind. Der Graf Appiani –

ORSINA. Wäre bey ihm? – Schade, daß ich über diese Lüge
Sie ertappen muß. Geschwind eine andere. – Denn Graf
Appiani, wenn Sie es noch nicht wissen, ist eben von
Räubern erschossen worden. Der Wagen mit seinem
Leichname begegnete mir kurz vor der Stadt. – Oder ist
er nicht? Hätte es mir blos geträumet?

MARINELLI. Leider nicht blos geträumet! – Aber die Andern, die mit dem Grafen waren, haben sich glücklich
hierher nach dem Schlosse gerettet: seine Braut nehmlich, und die Mutter der Braut, mit welchen er nach Sabio-
netta zu seiner feyerlichen Verbindung fahren wollte. |

ORSINA. Also die? Die sind bey dem Prinzen? die Braut?
und die Mutter der Braut? – Ist die Braut schön?

MARINELLI. Dem Prinzen geht ihr Unfall ungemein nahe.

ORSINA. Ich will hoffen; auch wenn sie häßlich wäre. Denn
ihr Schicksal ist schrecklich. – Armes, gutes Mädchen,
eben da er dein auf immer werden sollte, wird er dir auf
immer entrissen! – Wer ist sie denn, diese Braut? Kenn'
ich sie gar? – Ich bin so lange aus der Stadt, daß ich von
Nichts weiß.

MARINELLI. Es ist Emilia Galotti.

ORSINA. Wer? – Emilia Galotti? Emilia Galotti? – Marinelli! daß ich diese Lüge nicht für Wahrheit nehme!

MARINELLI. Wie so?

ORSINA. Emilia Galotti?

MARINELLI. Die Sie schwerlich kennen werden –

ORSINA. Doch! doch! Wenn es auch nur von heute wäre. –
Im Ernst, Marinelli? Emilia | Galotti? – Emilia Galotti
wäre die unglückliche Braut, die der Prinz tröstet?

MARINELLI. *(vor sich)* Sollte ich ihr schon zu viel gesagt
haben?

ORSINA. Und Graf Appiani war der Bräutigam dieser Braut? der eben erschossene Appiani?

MARINELLI. Nicht anders.

ORSINA. Bravo! o bravo! bravo! *(in die Hände schlagend.)*

MARINELLI. Wie das?

ORSINA. Küssen möcht' ich den Teufel, der ihn dazu verleitet hat!

MARINELLI. Wen? verleitet? wozu?

ORSINA. Ja, küssen, küssen möcht' ich ihn – Und wenn Sie selbst dieser Teufel wären, Marinelli.

MARINELLI. Gräfinn!

ORSINA. Kommen Sie her! Sehen Sie mich an! steif an! Aug' in Auge!

MARINELLI. Nun?

ORSINA. Wissen Sie nicht, was ich denke?

MARINELLI. Wie kann ich das?

ORSINA. Haben Sie keinen Antheil daran? |

MARINELLI. Woran?

ORSINA. Schwören Sie! – Nein, schwören Sie nicht. Sie möchten eine Sünde mehr begehen – Oder ja; schwören Sie nur. Eine Sünde mehr oder weniger für einen, der doch verdammt ist! – Haben Sie keinen Antheil daran?

MARINELLI. Sie erschrecken mich, Gräfinn.

ORSINA. Gewiß? – Nun, Marinelli argwohnet Ihr gutes Herz auch nichts?

MARINELLI. Was? worüber?

ORSINA. Wohl, – so will ich Ihnen etwas vertrauen; – etwas, das Ihnen jedes Haar auf dem Kopfe zu Berge sträuben soll. – Aber hier, so nahe an der Thüre, möchte uns jemand hören. Kommen Sie hierher. – Und! *(indem sie den Finger auf den Mund legt)* Hören Sie! ganz in geheim! ganz in geheim! *(und ihren Mund seinem Ohre nähert, als ob sie ihm zuflüstern wollte, was sie aber sehr laut ihm zuschreyet)* Der Prinz ist ein Mörder!

MARINELLI. Gräfinn, – Gräfinn – sind Sie ganz von Sinnen?

ORSINA. Von Sinnen? Ha! ha! ha! *(aus vollem Halse lachend)* Ich bin selten, oder nie, mit | meinem Verstande sowohl zufrieden gewesen, als eben itzt. – Zuverläßig, Marinelli; – aber es bleibt unter uns – *(leise)* der Prinz ist ein Mörder! Des Grafen Appiani Mörder! – Den haben nicht Räuber, den haben Helfershelfer des Prinzen, den hat der Prinz umgebracht!

MARINELLI. Wie kann Ihnen so eine Abscheulichkeit in den Mund, in die Gedanken kommen?

ORSINA. Wie? – Ganz natürlich. – Mit dieser Emilia Galotti, die hier bey ihm ist, – deren Bräutigam so über Hals über Kopf sich aus der Welt trollen müssen, – mit dieser Emilia Galotti hat der Prinz heute Morgen, in der Halle bey den Dominikanern, ein Langes und Breites gesprochen. Das weiß ich; das haben meine Kundschafter gesehen. Sie haben auch gehört, was er mit ihr gesprochen. – Nun, guter Herr? Bin ich von Sinnen? Ich reime, dächt' ich, doch noch so ziemlich zusammen, was zusammen gehört. – Oder trifft auch das nur so von ungefähr zu? Ist Ihnen auch das Zufall? O, Marinelli, so verstehen Sie auf die Bosheit der Menschen sich eben so schlecht, als auf die Vorsicht. |

MARINELLI. Gräfinn, Sie würden sich um den Hals reden –

ORSINA. Wenn ich das mehrern sagte? – Desto besser, desto besser! – Morgen will ich es auf dem Markte ausrufen. – Und wer mir widerspricht – wer mir widerspricht, der war des Mörders Spießgeselle. – Leben Sie wohl. *(indem sie fortgehen will, begegnet sie an der Thüre dem alten Galotti, der eiligst hereintritt.)*

Sechster Auftritt.

ODOARDO GALOTTI. DIE GRÄFINN. MARINELLI.

ODOARDO GAL. Verzeihen Sie, gnädige Frau –

ORSINA. Ich habe hier nichts zu verzeihen. Denn ich habe hier nichts übel zu nehmen – An diesen Herrn wenden Sie sich. *(ihn nach dem Marinelli weisend.)*

MARINELLI. *(indem er ihn erblicket, vor sich)* Nun vollends! der Alte! –|

ODOARDO. Vergeben Sie, mein Herr, einem Vater, der in der äußersten Bestürzung ist, – daß er so unangemeldet hereintritt.

ORSINA. Vater? *(kehrt wieder um)* Der Emilia, ohne Zweifel. – Ha, willkommen!

ODOARDO. Ein Bedienter kam mir entgegen gesprengt, mit der Nachricht, daß hierherum die Meinigen in Gefahr wären. Ich fliege herzu, und höre, daß der Graf Appiani verwundet worden; daß er nach der Stadt zurückgekehret; daß meine Frau und Tochter sich in das Schloß gerettet. – Wo sind sie, mein Herr? wo sind sie?

MARINELLI. Seyn Sie ruhig, Herr Oberster. Ihrer Gemahlinn und Ihrer Tochter ist nichts Uebels wiederfahren; den Schreck ausgenommen. Sie befinden sich beide wohl. Der Prinz ist bey ihnen. Ich gehe sogleich, Sie zu melden.

ODOARDO. Warum melden? erst melden?

MARINELLI. Aus Ursachen – von wegen – Von wegen des
Prinzen. Sie wissen, Herr Oberster, wie Sie mit dem
Prinzen stehen. Nicht auf dem freundschaftlichsten Fus-
se. So gnädig er sich gegen Ihre Gemahlinn und Tochter
bezei|get: – es sind Damen – Wird darum auch Ihr un-
vermutheter Anblick ihm gelegen seyn?

ODOARDO. Sie haben Recht, mein Herr; Sie haben Recht.

MARINELLI. Aber, gnädige Gräfinn, – kann ich vorher die
Ehre haben, Sie nach Ihren Wagen zu begleiten?

ORSINA. Nicht doch, nicht doch.

MARINELLI. *(sie bey der Hand nicht unsanft ergreifend)* Erlauben Sie, daß ich meine Schuldigkeit beobachte. –

ORSINA. Nur gemach! – Ich erlasse Sie deren, mein Herr. –
Daß doch immer Ihres gleichen Höflichkeit zur Schuldigkeit machen; um was eigentlich ihre Schuldigkeit wäre, als die Nebensache betreiben zu dürfen! – Diesen
würdigen Mann je eher je lieber zu melden, das ist Ihre
Schuldigkeit.

MARINELLI. Vergessen Sie, was Ihnen der Prinz selbst befohlen?

ORSINA. Er komme, und befehle es mir noch einmal. Ich
erwarte ihn. |

MARINELLI. *(leise zu dem Obersten, den er bey Seite ziehet)*
Mein Herr, ich muß Sie hier mit einer Dame lassen, die –
der – mit deren Verstande – Sie verstehen mich. Ich sage
Ihnen dieses, damit Sie wissen, was Sie auf ihre Reden
zu geben haben, – deren sie oft sehr seltsame führet. Am
besten, Sie lassen sich mit ihr nicht ins Wort.

ODOARDO. Recht wohl. – Eilen Sie nur, mein Herr.

Siebenter Auftritt.

DIE GRÄFINN ORSINA. ODOARDO GALOTTI.

ORSINA. *(nach einigem Stillschweigen, unter welchem sie den Obersten mit Mitleid betrachtet; so wie er sie, mit einer flüchtigen Neugierde)* Was er Ihnen auch da gesagt hat, unglücklicher Mann! –

ODOARDO. *(halb vor sich, halb gegen sie)* Unglücklicher?

ORSINA. Eine Wahrheit war es gewiß nicht; – am wenigsten eine von denen, die auf Sie warten.|

ODOARDO. Auf mich warten? – Weiß ich nicht schon genug? – Madame! – Aber, reden Sie nur, reden Sie nur.

ORSINA. Sie wissen nichts.

ODOARDO. Nichts?

ORSINA. Guter, lieber Vater! – Was gäbe ich darum, wann Sie auch mein Vater wären! – Verzeihen Sie! Die Unglücklichen ketten sich so gern an einander. – Ich wollte treulich Schmerz und Wuth mit Ihnen theilen.

ODOARDO. Schmerz und Wuth? Madame! – Aber ich vergesse – Reden Sie nur.

ORSINA. Wenn es gar Ihre einzige Tochter – Ihr einziges Kind wäre! – Zwar einzig, oder nicht. Das unglückliche Kind, ist immer das einzige.

ODOARDO. Das unglückliche? – Madame! – Was will ich von ihr? – Doch, bey Gott, so spricht keine Wahnwitzige!

ORSINA. Wahnwitzige? Das war es also, was er Ihnen von mir vertraute? – Nun, nun; es mag leicht keine von seinen gröbsten Lügen seyn. – Ich fühle so was! – Und glau|ben Sie, glauben Sie mir: wer über gewisse Dinge den Verstand nicht verlieret, der hat keinen zu verlieren. –

ODOARDO. Was soll ich denken?

ORSINA. Daß Sie mich also ja nicht verachten! – Denn auch Sie haben Verstand, guter Alter; auch Sie. – Ich seh' es an dieser entschlossenen, ehrwürdigen Miene. Auch Sie haben Verstand; und es kostet mich ein Wort, – so haben Sie keinen.

ODOARDO. Madame! – Madame! – Ich habe schon keinen mehr, noch ehe Sie mir dieses Wort sagen, wenn Sie mir es nicht bald sagen. – Sagen Sie es! sagen Sie es! – Oder es ist nicht wahr, – es ist nicht wahr, daß Sie von jener guten, unsers Mitleids, unserer Hochachtung so würdigen Gattung der Wahnwitzigen sind – Sie sind eine gemeine Thörinn. Sie haben nicht, was Sie nie hatten.

ORSINA. So merken Sie auf! – Was wissen Sie, der Sie schon genug wissen wollen? Daß Appiani verwundet worden? Nur verwundet? – Appiani ist todt!|

ODOARDO. Todt? todt? – Ha, Frau, das ist wider die Abrede. Sie wollen mich um den Verstand bringen: und Sie brechen mir das Herz.

ORSINA. Das beyher! – Nur weiter. – Der Bräutigam ist todt: und die Braut – Ihre Tochter – schlimmer als todt.

ODOARDO. Schlimmer? schlimmer als todt? – Aber doch zugleich, auch todt? – Denn ich kenne nur Ein Schlimmeres –

ORSINA. Nicht zugleich auch todt. Nein, guter Vater, nein! – Sie lebt, sie lebt. Sie wird nun erst recht anfangen zu leben. – Ein Leben voll Wonne! Das schönste, lustigste Schlaraffenleben, – so lang' es dauert.

ODOARDO. Das Wort, Madame; das einzige Wort, das

mich um den Verstand bringen soll! heraus damit! – Schütten Sie nicht Ihren Tropfen Gift in einen Eimer. – Das einzige Wort! geschwind.

ORSINA. Nun da; buchstabiren Sie es zusammen! – Des Morgens, sprach der Prinz Ihre Tochter in der Messe; des Nachmittags, hat er sie auf seinem Lust – Lustschlosse. |

ODOARDO. Sprach sie in der Messe? Der Prinz meine Tochter?

ORSINA. Mit einer Vertraulichkeit! mit einer Innbrunst! – Sie hatten nichts Kleines abzureden. Und recht gut, wenn es abgeredet worden; recht gut, wenn Ihre Tochter freywillig sich hierher gerettet! Sehen Sie: so ist es doch keine gewaltsame Entführung; sondern blos ein klei-ner – kleiner Meuchelmord.

ODOARDO. Verleumdung! verdammte Verleumdung! Ich kenne meine Tochter. Ist es Meuchelmord: so ist es auch Entführung. – (blickt wild um sich, und stampft und schäumet) Nun, Claudia? Nun, Mütterchen? – Haben wir nicht Freude erlebt! O des gnädigen Prinzen! O der ganz besondern Ehre!

ORSINA. Wirkt es, Alter! wirkt es?

ODOARDO. Da steh' ich nun vor der Höhle des Räubers – (indem er den Rock von beiden Seiten aus einander schlägt, und sich ohne Gewehr sieht) Wunder, daß ich aus Eilfertigkeit nicht auch die Hände zurück gelassen! – (an alle Schubsäcke fühlend, als etwas suchend) Nichts! gar nichts! nirgends! |

ORSINA. Ha, ich verstehe! – Damit kann ich aushelfen! – Ich hab' einen mitgebracht. (einen Dolch hervorziehend) Da nehmen Sie! Nehmen Sie geschwind, eh uns jemand sieht. – Auch hätte ich noch etwas, – Gift. Aber Gift ist

nur für uns Weiber; nicht für Männer. – Nehmen Sie
ihn! *(ihm den Dolch aufdringend)* Nehmen Sie!

ODOARDO. Ich danke, ich danke. – Liebes Kind, wer wieder sagt, daß du eine Närrinn bist, der hat es mit mir zu
thun.

ORSINA. Stecken Sie bey Seite! geschwind bey Seite! – Mir
wird die Gelegenheit versagt, Gebrauch davon zu machen. Ihnen wird sie nicht fehlen, diese Gelegenheit:
und Sie werden sie ergreifen, die erste, die beste, – wenn
Sie ein Mann sind. – Ich, ich bin nur ein Weib: aber so
kam ich her! Fest entschlossen! – Wir, Alter, wir können
uns alles vertrauen. Denn wir sind beide beleidiget; von
dem nehmlichen Verführer beleidiget. – Ah, wenn Sie
wüßten, – wenn Sie wüßten, wie überschwänglich, wie
unaussprechlich, wie unbegreiflich ich von ihm beleidi-
get worden, und noch werde: – Sie | könnten, Sie wür-
den Ihre eigene Beleidigung darüber vergessen. – Kennen Sie mich? Ich bin Orsina; die betrogene, verlassene
Orsina. – Zwar vielleicht nur um Ihre Tochter verlassen. – Doch was kann Ihre Tochter dafür? – Bald wird
auch sie verlassen seyn. – Und dann wieder eine! – Und
wieder eine! Ha! *(wie in der Entzückung)* welch eine
himmlische Phantasie! Wann wir einmal alle, – wir, das
ganze Heer der Verlassenen, – wir alle in Bacchantinnen,
in Furien verwandelt, wenn wir alle ihn unter uns hätten, ihn unter uns zerrissen, zerfleischten, sein Einge-
weide durchwühlten, – um das Herz zu finden, das der
Verräther einer jeden versprach, und keiner gab! Ha! das
sollte ein Tanz werden! das sollte!

Achter Auftritt.

CLAUDIA GALOTTI. DIE VORIGEN.

CLAUDIA. *(die im Hereintreten sich umsiehet, und sobald sie ihren Gemahl erblickt, auf ihn zuflieget)* Errathen! – Ah, unser Beschützer, unser Retter! Bist du da, Odoardo? Bist du da? – Aus | ihren Wispern, aus ihren Mienen schloß ich es. – Was soll ich dir sagen, wenn du noch nichts weißt? – Was soll ich dir sagen, wenn du schon alles weißt? – Aber wir sind unschuldig. Ich bin unschuldig. Deine Tochter ist unschuldig. Unschuldig, in allem unschuldig!

ODOARDO. *(der sich bey Erblickung seiner Gemahlinn zu fassen gesucht)* Gut, gut. Sey nur ruhig, nur ruhig, – und antworte mir. *(gegen die Orsina)* Nicht, Madame, als ob ich noch zweifelte – Ist der Graf todt?

CLAUDIA. Todt.

ODOARDO. Ist es wahr, daß der Prinz heute Morgen Emilien in der Messe gesprochen?

CLAUDIA. Wahr. Aber wenn du wüßtest, welchen Schreck es ihr verursacht; in welcher Bestürzung sie nach Hause kam –

ORSINA. Nun hab' ich gelogen?

ODOARDO. *(mit einem bittern Lachen)* Ich wollt' auch nicht, Sie hätten! Um wie vieles nicht!

ORSINA. Bin ich wahnwitzig?

ODOARDO. *(wild hin und her gehend)* O, – noch bin ich es auch nicht. |

CLAUDIA. Du gebothest mir ruhig zu seyn; und ich bin ruhig. – Bester Mann, darf auch ich – ich dich bitten –

ODOARDO. Was willst du? Bin ich nicht ruhig? Kann man ruhiger seyn, als ich bin? – *(sich zwingend)* Weiß es Emilia, daß Appiani todt ist?

CLAUDIA. Wissen kann sie es nicht. Aber ich fürchte, daß sie es argwohnet; weil er nicht erscheinet. –

ODOARDO. Und sie jammert und winselt –

CLAUDIA. Nicht mehr. – Das ist vorbey: nach ihrer Art, die du kennest. Sie ist die Furchtsamste und Entschlossenste unsers Geschlechts. Ihrer ersten Eindrücke nie mächtig: aber nach der geringsten Ueberlegung, in alles sich findend, auf alles gefaßt. Sie hält den Prinzen in einer Entfernung; sie spricht mit ihm in einem Tone – Mache nur, Odoardo, daß wir wegkommen.

ODOARDO. Ich bin zu Pferde. – Was zu thun? – Doch, Madame, Sie fahren ja nach der Stadt zurück?

ORSINA. Nicht anders. |

ODOARDO. Hätten Sie wohl die Gewogenheit, meine Frau mit sich zu nehmen?

ORSINA. Warum nicht? Sehr gern.

ODOARDO. Claudia, – *(ihr die Gräfinn bekannt machend)* Die Gräfinn Orsina; eine Dame von großem Verstande; meine Freundinn, meine Wohlthäterinn. – Du mußt mit ihr herein; um uns sogleich den Wagen heraus zu schicken. Emilia darf nicht wieder nach Guastalla. Sie soll mit mir.

CLAUDIA. Aber – wenn nur – Ich trenne mich ungern von dem Kinde.

ODOARDO. Bleibt der Vater nicht in der Nähe? Man wird ihn endlich doch vorlassen. Keine Einwendung! – Kommen Sie, gnädige Frau. *(leise zu ihr)* Sie werden von mir hören. – Komm Claudia. *(er führt sie ab.)* |

Fünfter Aufzug.

(Die Scene bleibt.)

Erster Auftritt.

MARINELLI. DER PRINZ.

MARINELLI. Hier, gnädiger Herr, aus diesem Fenster kön-   5
nen Sie ihn sehen. Er geht die Arkade auf und nieder. –
Eben biegt er ein; er kömmt. – Nein, er kehrt wieder
um. – Ganz einig ist er mit sich noch nicht. Aber um ein
großes ruhiger ist er, – oder scheinet er. Für uns gleich
viel! – Natürlich! Was ihm auch beide Weiber in den   10
Kopf gesetzt haben, wird er es wagen zu äußern? – Wie
Battista gehört, soll ihm seine Frau den Wagen sogleich
heraus senden. Denn er kam zu Pferde. – Geben Sie
Acht, wenn er nun vor Ihnen erscheinet, wird er ganz
unterthänigst Eurer Durchlaucht für den gnädigen   15
Schutz dancken, den seine Familie bey diesem so traurigen Zufalle hier gefunden; wird sich, mit samt seiner
Tochter, zu fernerer Gnade empfehlen; | wird sie ruhig
nach der Stadt bringen, und es in tiefster Unterwerfung
erwarten, welchen weitern Antheil Euer Durchlaucht an   20
seinem unglücklichen, lieben Mädchen zu nehmen geruhen wollen.

DER PRINZ. Wenn er nun aber so zahm nicht ist? Und
schwerlich, schwerlich wird er es seyn. Ich kenne ihn zu
gut. – Wenn er höchstens seinen Argwohn erstikt, seine   25
Wuth verbeißt: aber Emilien, anstatt sie nach der Stadt
zu führen, mit sich nimmt? bey sich behält? oder wohl

gar in ein Kloster, außer meinen Gebiethe, verschließt? Wie dann?

MARINELLI. Die fürchtende Liebe sieht weit. Wahrlich! – Aber er wird ja nicht –

DER PRINZ. Wenn er nun aber! Wie dann? Was wird es uns dann helfen, daß der unglückliche Graf sein Leben darüber verloren?

MARINELLI. Wozu dieser traurige Seitenblick? Vorwärts! denkt der Sieger: es falle neben ihm Feind oder Freund. – Und wenn auch! Wenn er es auch wollte, der alte Neidhart, was Sie von ihm fürchten, Prinz: – *(überlegend)* Das geht! Ich hab' es! – Weiter als zum Wol|len, soll er es gewiß nicht bringen. Gewiß nicht! – Aber daß wir ihn nicht aus dem Gesichte verlieren. – *(tritt wieder ans Fenster)* Bald hätt' er uns überrascht! Er kömmt. – Lassen Sie uns ihm noch ausweichen: und hören Sie erst, Prinz, was wir auf den zu befürchtenden Fall thun müssen.

DER PRINZ. *(drohend)* Nur Marinelli! –

MARINELLI. Das unschuldigste von der Welt!

Zweyter Auftritt.

ODOARDO GALOTTI.

Noch niemand hier? – Gut; ich soll noch kälter werden. Es ist mein Glück. – Nichts verächtlicher, als ein brausender Jünglingskopf mit grauen Haaren! Ich hab' es mir so oft gesagt. Und doch ließ ich mich fortreißen: und von wem? Von einer Eifersüchtigen; von einer für Eifersucht Wahnwitzigen. – Was hat die gekränkte Tugend mit der Rache des Lasters zu schaffen? Jene allein hab' ich zu retten. – Und deine Sache, – mein Sohn! mein Sohn! – Weinen konnt' ich nie; – und will es nun nicht | erst lernen – Deine Sache wird ein ganz Anderer zu seiner machen! Genug für mich, wenn dein Mörder die Frucht seines Verbrechens nicht genießt. – Dieß martere ihn mehr, als das Verbrechen! Wenn nun bald ihn Sättigung und Eckel von Lüsten zu Lüsten treiben; so vergälle die Erinnerung, diese eine Lust nicht gebüßet zu haben, ihm den Genuß aller! In jedem Traume führe der blutige Bräutigam ihm die Braut vor das Bette; und wann er dennoch den wollüstigen Arm nach ihr ausstreckt: so höre er plötzlich das Hohngelächter der Hölle, und erwache!

Dritter Auftritt.

MARINELLI. ODOARDO GALOTTI.

MARINELLI. Wo blieben Sie, mein Herr? wo blieben Sie?
ODOARDO. War meine Tochter hier?
MARINELLI. Nicht sie: aber der Prinz.
ODOARDO. Er verzeihe. – Ich habe die Gräfinn begleitet.
MARINELLI. Nun? |
ODOARDO. Die gute Dame!
MARINELLI. Und Ihre Gemahlinn?
ODOARDO. Ist mit der Gräfinn; – um uns den Wagen sogleich heraus zu senden. Der Prinz vergönne nur, daß ich mich so lange mit meiner Tochter noch hier verweile.
MARINELLI. Wozu diese Umstände? Würde sich der Prinz nicht ein Vergnügen daraus gemacht haben, sie beide, Mutter und Tochter, selbst nach der Stadt zu bringen?

ODOARDO. Die Tochter wenigstens würde diese Ehre haben verbitten müssen.

MARINELLI. Wie so?

ODOARDO. Sie soll nicht mehr nach Guastalla.

MARINELLI. Nicht? und warum nicht?

ODOARDO. Der Graf ist todt.

MARINELLI. Um so viel mehr –

ODOARDO. Sie soll mit mir.

MARINELLI. Mit Ihnen?

ODOARDO. Mit mir. Ich sage Ihnen ja, der Graf ist todt. – Wenn Sie es noch nicht wissen – Was hat sie nun weiter in Guastalla zu thun? – Sie soll mit mir. |

MARINELLI. Allerdings wird der künftige Aufenthalt der Tochter einzig von dem Willen des Vaters abhangen. Nur vors erste –

ODOARDO. Was vors erste?

MARINELLI. Werden Sie wohl erlauben müssen, Herr Oberster, daß sie nach Guastalla gebracht wird.

ODOARDO. Meine Tochter? nach Guastalla gebracht wird? und warum?

MARINELLI. Warum? Erwägen Sie doch nur –

ODOARDO. *(hitzig)* Erwägen! erwägen! Ich erwäge, daß hier nichts zu erwägen ist. – Sie soll, sie muß mit mir.

MARINELLI. O, mein Herr, – was brauchen wir, uns hierüber zu ereifern? Es kann seyn, daß ich mich irre; daß es nicht nöthig ist, was ich für nöthig halte. – Der Prinz wird es am besten zu beurtheilen wissen. Der Prinz entscheide. – Ich geh' und hole ihn. |

Vierter Auftritt.

ODOARDO GALOTTI.

Wie? – Nimmermehr! – Mir vorschreiben, wo sie hin
soll? – Mir sie vorenthalten? – Wer will das? Wer darf
das? – Der hier alles darf, was er will? Gut, gut; so soll er
sehen, wie viel auch ich darf, ob ich es schon nicht dürfte! Kurzsichtiger Wütherich! Mit dir will ich es wohl
aufnehmen. Wer kein Gesetz achtet, ist eben so mächtig,
als wer kein Gesetz hat. Das weißt du nicht? Komm an!
komm an! – Aber, sieh da! Schon wieder; schon wieder
rennet der Zorn mit dem Verstande davon. – Was will
ich? Erst müßt' es doch geschehen seyn, worüber ich to-
be. Was plaudert nicht eine Hofschranze! Und hätte ich
ihn doch nur plaudern lassen! Hätte ich seinen Vorwand,
warum sie wieder nach Guastalla soll, doch nur ange-
hört! – So könnte ich mich itzt auf eine Antwort gefaßt
machen. – Zwar auf welchen kann mir eine fehlen? –
Sollte sie mir aber fehlen; sollte sie – Man kömmt. Ru-
hig, alter Knabe, ruhig!|

Fünfter Auftritt.

DER PRINZ. MARINELLI. ODOARDO GALOTTI.

DER PRINZ. Ah, mein lieber, rechtschaffner Galotti, – so
etwas muß auch geschehen, wenn ich Sie bey mir sehen
soll. Um ein Geringeres thun Sie es nicht. Doch keine
Vorwürfe!
ODOARDO. Gnädiger Herr, ich halte es in allen Fällen für

unanständig, sich zu seinem Fürsten zu drengen. Wen er kennt, den wird er fodern lassen, wenn er seiner bedarf. Selbst itzt bitte ich um Verzeihung –

DER PRINZ. Wie manchem andern wollte ich diese stolze Bescheidenheit wünschen! – Doch zur Sache. Sie werden begierig seyn, Ihre Tochter zu sehen. Sie ist in neuer Unruhe, wegen der plötzlichen Entfernung einer so zärtlichen Mutter. – Wozu auch diese Entfernung? Ich wartete nur, daß die liebenswürdige Emilie sich völlig erholet hätte, um beide im Triumphe nach der Stadt zu bringen. Sie haben mir diesen Triumph um die Hälfte verkümmert; aber ganz werde ich mir ihn nicht nehmen lassen. |

ODOARDO. Zu viel Gnade! – Erlauben Sie, Prinz, daß ich meinem unglücklichen Kinde alle die mannichfaltigen Kränkungen erspare, die Freund und Feind, Mitleid und Schadenfreude in Guastalla für sie bereit halten.

DER PRINZ. Um die süßen Kränkungen des Freundes und des Mitleids, würde es Grausamkeit seyn, sie zu bringen. Daß aber die Kränkungen des Feindes und der Schadenfreude sie nicht erreichen sollen; dafür, lieber Galotti, lassen Sie mich sorgen.

ODOARDO. Prinz, die väterliche Liebe theilet ihre Sorgen nicht gern. – Ich denke, ich weiß es, was meiner Tochter in ihren itzigen Umständen einzig ziemet. – Entfernung aus der Welt; – ein Kloster, – sobald als möglich.

DER PRINZ. Ein Kloster?

ODOARDO. Bis dahin weine sie unter den Augen ihres Vaters.

DER PRINZ. So viel Schönheit soll in einem Kloster verblühen? – Darf eine einzige fehlgeschlagene Hoffnung uns gegen die Welt so unversöhnlich machen? – Doch allerdings: dem Va|ter hat niemand einzureden. Bringen Sie Ihre Tochter, Galotti, wohin Sie wollen.

ODOARDO. *(gegen Marinelli)* Nun, mein Herr?

MARINELLI. Wenn Sie mich so gar auffodern! –

ODOARDO. O mit nichten, mit nichten.

DER PRINZ. Was haben Sie beide?

ODOARDO. Nichts, gnädiger Herr, nichts. – Wir erwägen blos, welcher von uns sich in Ihnen geirret hat.

DER PRINZ. Wie so? – Reden Sie, Marinelli.

MARINELLI. Es geht mir nahe, der Gnade meines Fürsten in den Weg zu treten. Doch wenn die Freundschaft gebiethet, vor allem in ihm den Richter aufzufodern –

DER PRINZ. Welche Freundschaft? –

MARINELLI. Sie wissen, gnädiger Herr, wie sehr ich den Grafen Appiani liebte; wie sehr unser beider Seelen in einander verwebt schienen –

ODOARDO. Das wissen Sie, Prinz? So wissen Sie es wahrlich allein.|

MARINELLI. Von ihm selbst zu seinem Rächer bestellet –

ODOARDO. Sie?

MARINELLI. Fragen Sie nur Ihre Gemahlinn. Marinelli, der Name Marinelli war das letzte Wort des sterbenden Grafen: und in einem Tone! in einem Tone! – Daß er mir nie aus dem Gehöre komme dieser schreckliche Ton, wenn ich nicht alles anwende, daß seine Mörder entdeckt und bestraft werden!

DER PRINZ. Rechnen Sie auf meine kräftigste Mitwirkung.

ODOARDO. Und meine heißesten Wünsche! – Gut, gut! – Aber was weiter?

DER PRINZ. Das frag' ich, Marinelli.

MARINELLI. Man hat Verdacht, daß es nicht Räuber gewesen, welche den Grafen angefallen.

ODOARDO. *(höhnisch)* Nicht? wirklich nicht?

MARINELLI. Daß ein Nebenbuhler ihn aus dem Wege räumen lassen.

ODOARDO. *(bitter)* Ey! Ein Nebenbuhler?

MARINELLI. Nicht anders. |

ODOARDO. Nun dann, – Gott verdamm' ihn den meuchelmörderschen Buben!

MARINELLI. Ein Nebenbuhler, und ein begünstigter Nebenbuhler –

ODOARDO. Was? ein begünstigter? – Was sagen Sie?

MARINELLI. Nichts, als was das Gerüchte verbreitet.

ODOARDO. Ein begünstigter? von meiner Tochter begünstiget?

MARINELLI. Das ist gewiß nicht. Das kann nicht seyn. Dem widersprech' ich, trotz Ihnen. – Aber bey dem allen, gnädiger Herr. – Denn das gegründetste Vorurtheil wieget auf der Wage der Gerechtigkeit so viel als nichts – bey dem allen wird man doch nicht umhin können, die schöne Unglückliche darüber zu vernehmen.

DER PRINZ. Ja wohl, allerdings.

MARINELLI. Und wo anders? wo kann das anders geschehen, als in Guastalla?

DER PRINZ. Da haben Sie Recht, Marinelli; da haben Sie Recht. – Ja so: das ver|ändert die Sache, lieber Galotti. Nicht wahr? Sie sehen selbst –

ODOARDO. O ja, ich sehe – Ich sehe, was ich sehe. – Gott! Gott!

DER PRINZ. Was ist Ihnen? was haben Sie mit sich?

ODOARDO. Daß ich es nicht vorausgesehen, was ich da sehe. Das ärgert mich: weiter nichts. – Nun ja; sie soll wieder nach Guastalla. Ich will sie wieder zu ihrer Mutter
bringen: und bis die strengste Untersuchung sie frey gesprochen, will ich selbst aus Guastalla nicht weichen. 5
Denn wer weiß, – *(mit einem bittern Lachen)* wer weiß,
ob die Gerechtigkeit nicht auch nöthig findet, mich zu
vernehmen.

MARINELLI. Sehr möglich! In solchen Fällen thut die Gerechtigkeit lieber zu viel, als zu wenig. – Daher fürchte 10
ich sogar –

DER PRINZ. Was? was fürchten Sie?

MARINELLI. Man werde vor der Hand nicht verstatten
können, daß Mutter und Tochter sich sprechen.

ODOARDO. Sich nicht sprechen? | 15

MARINELLI. Man werde genöthiget seyn, Mutter und
Tochter zu trennen.

ODOARDO. Mutter und Tochter zu trennen?

MARINELLI. Mutter und Tochter und Vater. Die Form des
Verhörs erfodert diese Vorsichtigkeit schlechterdings. 20
Und es thut mir leid, gnädiger Herr, daß ich mich
gezwungen sehe, ausdrücklich darauf anzutragen, wenigstens Emilien in eine besondere Verwahrung zu
bringen.

ODOARDO. Besondere Verwahrung? – Prinz! Prinz! – 25
Doch ja; freylich, freylich! Ganz recht: in eine besondere
Verwahrung! Nicht Prinz? nicht? – O wie fein die Ge-
rechtigkeit ist! Vortrefflich! *(fährt schnell nach dem
Schubsacke, in welchem er den Dolch hat.)*

DER PRINZ. *(schmeichelhaft auf ihn zutretend)* Fassen Sie 30
sich, lieber Galotti –

ODOARDO. *(bey Seite, indem er die Hand leer wieder heraus zieht)* Das sprach sein Engel!

DER PRINZ. Sie sind irrig; Sie verstehen ihn nicht. Sie denken bey dem Worte Verwahrung, wohl gar an Gefängniß und Kerker. |

ODOARDO. Lassen Sie mich daran denken: und ich bin ruhig!

DER PRINZ. Kein Wort von Gefängniß, Marinelli! Hier ist die Strenge der Gesetze mit der Achtung gegen unbescholtene Tugend leicht zu vereinigen. Wenn Emilia in besondere Verwahrung gebracht werden muß: so weiß ich schon – die alleranständigste. Das Haus meines Kanzlers. – Keinen Widerspruch, Marinelli! – Da will ich sie selbst hinbringen, da will ich sie der Aufsicht einer der würdigsten Damen übergeben. Die soll mir für sie bürgen, haften. – Sie gehen zu weit, Marinelli, wirklich zu weit, wenn Sie mehr verlangen. – Sie kennen doch, Galotti, meinen Kanzler Grimaldi, und seine Gemahlinn?

ODOARDO. Was sollt' ich nicht? Sogar die liebenswürdigen Töchter dieses edeln Paares kenn' ich. Wer kennt sie nicht? – *(zu Marinelli)* Nein, mein Herr, geben Sie das nicht zu. Wenn Emilia verwahrt werden muß: so müste sie in dem tiefsten Kerker verwahrt werden. Dringen Sie darauf; ich bitte Sie. – Ich Thor, mit meiner Bitte! Ich alter Geck! – Ja wohl hat sie Recht | die gute Sibylle: Wer über gewisse Dinge seinen Verstand nicht verlieret, der hat keinen zu verlieren!

DER PRINZ. Ich verstehe Sie nicht. – Lieber Galotti, was kann ich mehr thun? – Lassen Sie es dabey: ich bitte Sie. – Ja, ja, in das Haus meines Kanzlers! da soll sie hin;

da bring' ich sie selbst hin; und wenn ihr da nicht mit der äußersten Achtung begegnet wird, so hat mein Wort nichts gegolten. Aber sorgen Sie nicht. – Dabey bleibt es! dabey bleibt es! – Sie selbst, Galotti, mit sich, können es halten, wie Sie wollen. Sie können uns nach Guastalla folgen; Sie können nach Sabionetta zurückkehren: wie Sie wollen. Es wäre lächerlich, Ihnen vorzuschreiben. – Und nun, auf Wiedersehen, lieber Galotti! – Kommen Sie, Marinelli: es wird spät.

ODOARDO. *(der in tiefen Gedanken gestanden.)* Wie? so soll ich sie gar nicht sprechen meine Tochter? Auch hier nicht? – Ich lasse mir alles gefallen; ich finde ja alles ganz vortrefflich. Das Haus eines Kanzlers ist natürlicher Weise eine Freystadt der Tugend. O, gnädiger Herr, brin|gen Sie ja meine Tochter dahin; nirgends anders als dahin. – Aber sprechen wollt' ich sie doch gerne vorher. Der Tod des Grafen ist ihr noch unbekannt. Sie wird nicht begreifen können, warum man sie von ihren Aeltern trennet. Ihr jenen auf gute Art beyzubringen; sie dieser Trennung wegen zu beruhigen: – muß ich sie sprechen, gnädiger Herr, muß ich sie sprechen.

DER PRINZ. So kommen Sie denn –

ODOARDO. O, die Tochter kann auch wohl zu dem Vater kommen. – Hier, unter vier Augen, bin ich gleich mit ihr fertig. Senden Sie mir sie nur, gnädiger Herr.

DER PRINZ. Auch das! – O Galotti, wenn Sie mein Freund, mein Führer, mein Vater seyn wollten! *(der Prinz und Marinelli gehen ab.)*

Sechster Auftritt.

ODOARDO GALOTTI.

(Ihm nachsehend; nach einer Pause) Warum nicht? –
Herzlich gern – Ha! ha! ha! – *(blickt wild umher)* Wer
lacht da? – Bey Gott, | ich glaub', ich war es selbst. –
Schon recht! Lustig, lustig. Das Spiel geht zu Ende. So,
oder so! – Aber – *(Pause)* wenn sie mit ihm sich verstün-
de? Wenn es das alltägliche Possenspiel wäre? Wenn sie
es nicht werth wäre, was ich für sie thun will? – *(Pause)*
Für sie thun will? Was will ich denn für sie thun? – Hab'
ich das Herz, es mir zu sagen? – Da denk' ich so was: So
was, was sich nur denken läßt! – Gräßlich! Fort, fort! Ich
will sie nicht erwarten. Nein! – *(gegen den Himmel)* Wer
sie unschuldig in diesen Abgrund gestürzt hat, der ziehe
sie wieder heraus. Was braucht er meine Hand dazu?
Fort! *(er will gehen, und sieht Emilien kommen)* Zu spät!
Ah! er will meine Hand; er will sie!

Siebenter Auftritt.

EMILIA. ODOARDO.

EMILIA. Wie? Sie hier, mein Vater? – Und nur Sie? – Und
meine Mutter? nicht hier? – Und der Graf? nicht hier? –
Und Sie so unruhig, mein Vater? |
ODOARDO. Und du so ruhig, meine Tochter?
EMILIA. Warum nicht, mein Vater? – Entweder ist nichts
verloren: oder alles. Ruhig seyn können, und ruhig seyn
müssen: kömmt es nicht auf eines?

ODOARDO. Aber, was meynest du, daß der Fall ist?

EMILIA. Daß alles verloren ist; – und daß wir wohl ruhig seyn müssen, mein Vater.

ODOARDO. Und du wärest ruhig, weil du ruhig seyn mußt? – Wer bist du? Ein Mädchen? und meine Tochter? So sollte der Mann, und der Vater sich wohl vor dir schämen? – Aber laß doch hören: was nennest du, alles verloren? – daß der Graf todt ist?

EMILIA. Und warum er todt ist! Warum! – Ha, so ist es wahr, mein Vater? So ist sie wahr die ganze schreckliche Geschichte, die ich in dem nassen und wilden Auge meiner Mutter las? – Wo ist meine Mutter? Wo ist sie hin, mein Vater?

ODOARDO. Voraus; – wann wir anders ihr nachkommen. |

EMILIA. Je eher, je besser. Denn wenn der Graf todt ist; wenn er darum todt ist – darum! was verweilen wir noch hier? Lassen Sie uns fliehen, mein Vater.

ODOARDO. Fliehen? – Was hätt' es dann für Noth? – Du bist, du bleibst in den Händen deines Räubers.

EMILIA. Ich bleibe in seinen Händen?

ODOARDO. Und allein; ohne deine Mutter; ohne mich.

EMILIA. Ich allein in seinen Händen? – Nimmermehr, mein Vater. – Oder Sie sind nicht mein Vater. – Ich allein in seinen Händen? – Gut, lassen Sie mich nur; lassen Sie mich nur. – Ich will doch sehn, wer mich hält, – wer mich zwingt, – wer der Mensch ist, der einen Menschen zwingen kann.

ODOARDO. Ich meyne, du bist ruhig, mein Kind.

EMILIA. Das bin ich. Aber was nennen Sie ruhig seyn? Die Hände in den Schooß legen? Leiden, was man nicht sollte? Dulden, was man nicht dürfte? |

ODOARDO. Ha! wenn du so denkest! – Laß dich umarmen, meine Tochter! – Ich hab' es immer gesagt: das Weib wollte die Natur zu ihrem Meisterstücke machen. Aber sie vergriff sich im Thone; sie nahm ihn zu fein. Sonst ist alles besser an Euch, als an Uns. – Ha, wenn das deine Ruhe ist: so habe ich meine in ihr wiedergefunden! Laß dich umarmen, meine Tochter! – Denke nur: unter dem Vorwande einer gerichtlichen Untersuchung, – o des höllischen Gauckelspieles! – reißt er dich aus unsern Armen, und bringt dich zur Grimaldi.

EMILIA. Reißt mich? bringt mich? – Will mich reißen; will mich bringen: will! will! – Als ob wir, wir keinen Willen hätten, mein Vater!

ODOARDO. Ich ward auch so wütend, daß ich schon nach diesem Dolche griff, *(ihn herausziehend)* um einem von beiden – beiden! – das Herz zu durchstoßen.

EMILIA. Um des Himmels willen nicht, mein Vater! – Dieses Leben ist alles, was die Lasterhaften haben. – Mir, mein Vater, mir geben Sie diesen Dolch.

ODOARDO. Kind, es ist keine Haarnadel.

EMILIA. So werde die Haarnadel zum Dolche! – Gleichviel. |

ODOARDO. Was? Dahin wäre es gekommen? Nicht doch; nicht doch! Besinne dich. – Auch du hast nur Ein Leben zu verlieren.

EMILIA. Und nur Eine Unschuld!

ODOARDO. Die über alle Gewalt erhaben ist. –

EMILIA. Aber nicht über alle Verführung. – Gewalt! Gewalt! wer kann der Gewalt nicht trotzen? Was Gewalt heißt, ist nichts: Verführung ist die wahre Gewalt. – Ich habe Blut, mein Vater; so jugendliches, so warmes Blut,

als eine. Auch meine Sinne, sind Sinne. Ich stehe für
nichts. Ich bin für nichts gut. Ich kenne das Haus der Grimaldi. Es ist das Haus der Freude. Eine Stunde da, unter
den Augen meiner Mutter; – und es erhob sich so mancher Tumult in meiner Seele, den die strengsten Uebun-
gen der Religion kaum in Wochen besänftigen konnten! – Der Religion! Und welcher Religion? – Nichts
Schlimmers zu vermeiden, sprangen Tausende in die
Fluthen, und sind Heilige! – Geben Sie mir, mein Vater,
geben Sie mir diesen Dolch.

ODOARDO. Und wenn du ihn kenntest diesen Dolch! –

EMILIA. Wenn ich ihn auch nicht kenne! – Ein unbekann-
ter Freund, ist auch ein Freund. – Geben Sie mir ihn,
mein Vater; geben Sie mir ihn. |

ODOARDO. Wenn ich dir ihn nun gebe – da! *(giebt ihr ihn.)*

EMILIA. Und da! *(im Begriffe sich damit zu durchstoßen,
reißt der Vater ihr ihn wieder aus der Hand.)*

ODOARDO. Sieh, wie rasch! – Nein, das ist nicht für deine
Hand.

EMILIA. Es ist wahr, mit einer Haarnadel soll ich. – *(sie
fährt mit der Hand nach dem Haare, eine zu suchen, und
bekömmt die Rose zu fassen.)* Du noch hier? – Herunter
mit dir! Du gehörest nicht in das Haar Einer, – wie mein
Vater will, daß ich werden soll!

ODOARDO. O, meine Tochter! –

EMILIA. O, mein Vater, wenn ich Sie erriethe! – Doch nein;
das wollen Sie auch nicht. Warum zauderten Sie sonst? –
*(in einem bittern Tone, während daß sie die Rose zer-
pflückt)* Ehedem wohl gab es einen Vater, der seine Tochter von der Schande zu retten, ihr den ersten den besten
Stahl in das Herz senkte – ihr zum zweyten das Leben

gab. Aber alle solche Thaten sind von ehedem! Solcher Väter giebt es keinen mehr!

ODOARDO. Doch, meine Tochter, doch! *(indem er sie durchsticht)* – Gott, was hab' ich gethan! *(sie will sinken, und er faßt sie in seine Arme.)* |

EMILIA. Eine Rose gebrochen, ehe der Sturm sie entblättert. – Lassen Sie mich sie küssen, diese väterliche Hand.

Achter Auftritt.

DER PRINZ. MARINELLI. DIE VORIGEN.

DER PRINZ. *(im Hereintreten)* Was ist das? – Ist Emilien nicht wohl?

ODOARDO. Sehr wohl; sehr wohl!

DER PRINZ. *(indem er näher kömmt.)* Was seh' ich? – Entsetzen!

MARINELLI. Weh mir!

DER PRINZ. Grausamer Vater, was haben Sie gethan?

ODOARDO. Eine Rose gebrochen, ehe der Sturm sie entblättert. – War es nicht so, meine Tochter?

EMILIA. Nicht Sie, mein Vater – Ich selbst – ich selbst –

ODOARDO. Nicht du, meine Tochter; – nicht du! – Gehe mit keiner Unwahrheit aus der Welt. Nicht du, meine Tochter! Dein Vater, dein unglücklicher Vater!

EMILIA. Ah – mein Vater – *(sie stirbt, und er legt sie sanft auf den Boden.)* |

ODOARDO. Zieh hin! – Nun da, Prinz! Gefällt sie Ihnen noch? Reizt sie noch Ihre Lüste? Noch, in diesem Blute, das wider Sie um Rache schreyet? *(nach einer Pause)*

Aber Sie erwarten, wo das alles hinaus soll? Sie erwarten vielleicht, daß ich den Stahl wider mich selbst kehren werde, um meine That wie eine schaale Tragödie zu beschließen? – Sie irren sich. Hier! *(indem er ihm den Dolch vor die Füße wirfft)* Hier liegt er, der blutige Zeuge meines Verbrechens! Ich gehe und liefere mich selbst in das Gefängniß. Ich gehe, und erwarte Sie, als Richter. – Und dann dort – erwarte ich Sie vor dem Richter unser aller!

DER PRINZ. *(nach einigem Stillschweigen, unter welchem er den Körper mit Entsetzen und Verzweiflung betrachtet, zu Marinelli)* Hier! heb' ihn auf. – Nun? Du bedenkst dich? – Elender! – *(indem er ihm den Dolch aus der Hand reißt.)* Nein, dein Blut soll mit diesem Blute sich nicht mischen. – Geh, dich auf ewig zu verbergen! – Geh! sag' ich. – Gott! Gott! – Ist es, zum Unglücke so mancher, nicht genug, daß Fürsten Menschen sind: müssen sich auch noch Teufel in ihren Freund verstellen?

Ende des Trauerspiels.

Anhang

Zu dieser Studienausgabe

Gotthold Ephraim Lessings (1729–1781) *Emilia Galotti* gilt seit ihrem ersten Erscheinen auf dem Buchmarkt und ihrer Uraufführung im Jahr 1772 als das Theaterstück, das mehr noch als *Miß Sara Sampson* dem ›bürgerlichen Trauerspiel‹ den Weg auf die Theaterbühne geebnet hat. Seine historische Wirkung entfaltete dieses Trauerspiel zwar vorwiegend dadurch, dass Lessing darin die sozialen und moralischen Prinzipien adliger und bürgerlicher Eliten zusammenprallen ließ, aber auch die moderne dramentheoretische Grundierung bedeutete eine Herausforderung, die seitdem von vielen Dramatikern angenommen wurde. *Emilia Galotti* ist zweifellos ein Höhepunkt im Schaffen des Dramatikers Lessing, obwohl sein Interesse am Theater nach den enttäuschenden Erfahrungen mit dem Hamburger Nationaltheaterprojekt zusehends erlahmt war (Nisbet, 2008, S. 637). In einem Brief an den Bruder Karl Gotthelf Lessing (1740–1812) schreibt er am 14. November 1771: »Das Theater überhaupt wird mir von Tage zu Tage gleichgültiger« (LM, Bd. 17, S. 407). Dennoch: *Emilia Galotti*, die lange als unfertiges Projekt auf Lessings Schreibtisch lag, konnte erst vollendet werden, nachdem er mit *Miß Sara Sampson* (1753), *Philotas* (1759), *Minna von Barnhelm* (1767) und der *Hamburgischen Dramaturgie* (1767) wichtige Eckpfeiler seiner Theaterkonzeption errichtet und außerdem theaterpraktische Erfahrungen gesammelt hatte.

Emilia Galotti galt schon immer als ein Theaterstück, an dem sich die Geister schieden: Es löste einerseits Begeisterung aus, andererseits entzündete sich an ihm auch heftige Kritik. Das prekäre Ende des Stücks mitsamt der Frage ›Warum stirbt Emilia?‹ geriet früh in den Fokus der Kritiker. Die widerstreitende Einschätzung der im Stück ausgebreiteten vorbildlichen oder doch eher brüchigen bürgerlichen Werteordnung samt dem inhärenten Konfliktpotential bei der Beurteilung des Freiheitsbegriffs lieferte viel Diskussionsstoff. Ein wiederkehrender Aspekt der Rezeption wurde schließlich von der Diskussion über die Mehrdeutigkeit der Figurencharaktere und ihrem eklatanten Mangel an Mitleidsfähigkeit bestimmt: Ihr offenkundig uneindeutiges und dadurch motiviertes Fehlverhalten, das nicht allein durch Kollisionen zwischen Verstand und Gefühl ausgelöst, sondern ständig auch von äußeren Zufällen mitbestimmt wird, gab regelmäßig Anlass zu Fragen nach der Stückdramaturgie und Lessings formalem Theaterverständnis (vgl. Steinmetz, 1994; Albert, 1997, S. 73–80; Brenner, 2000, S. 222–226). Entsprechend gespalten war die zeitgenössische Aufnahme des Stücks, und noch heute zählt *Emilia Galotti* zu den »meistinterpretierten Werken der deutschsprachigen Literatur« (Fick, 2004, S. 317). Einerseits erging man sich in enthusiastischen Lobpreisungen des Autors als »Shakespear-Lessing« (Johann Arnold Ebert, 1723–1795, Brief an Lessing vom 14. März 1772; LM, Bd. 20, S. 150) oder als Dichter, der mit dem Verfassen eines makellosen Sprachkunstwerks wie *Emilia Galotti* »darzu bestimmt ist, Deutschlands Ehre zu retten, und unsre Nachbaren eyfersüchtig auf uns zu machen« (Anonymus, in: *Beytrag zum Reichs-Postreuter*, 32. Stück, 23. April 1772; zit. nach: HKA, S. 448). Auf der anderen Seite artikulierte sich eine jüngere Generation von Autoren und Kritikern mit radikal verändertem Literaturverständnis, die die literarische Leistung Lessings zwar nicht in Frage stellten, aber inzwischen kritisch auf die Epoche der Aufklärung blickten. *Emilia Galotti* markiert somit auch eine Epochenschwelle. Zu dieser neuen Kritikergeneration zählte etwa Friedrich Schlegel (1772–1829), der in seinem legendären Lessing-Essay aus dem Jahr 1797 *Emilia Galotti* als ein für die Aufklärung typisches »großes Exempel der dramatischen Algebra« und als ein »in Schweiß und Pein produzierte[s] Meisterstück des reinen Verstandes« charakterisiert hat: »man muß es frierend bewundern, und bewundernd frieren; denn ins Gemüt dringts nicht und kanns nicht dringen, weil es nicht aus dem Gemüt gekommen ist« (*Schlegel-Ausgabe*, Abt. 1, Bd. 2, S. 116). Den einen galt Lessings aufklärerische Trauerspielkonzeption prinzipiell als innovativ, bei den anderen – der Genieästhetik des Sturm und Drang verpflichtet – stieß eben diese Konzeption an ihre Grenzen oder hatte sich in ihren Augen schlichtweg überlebt. *Emilia Galotti* war nur zwei Jahre nach der Uraufführung bereits ein ›Klassiker‹ und lag 1774 als Requisit aufgeschlagen auf dem Schreibpult des Selbstmörders Werther.

Goethe (1749–1832), der Autor von *Die Leiden des jungen Werthers* und exponierter Vertreter der neuen Literatengeneration, äußert sich Jahrzehnte später (27. März 1830) entsprechend drastisch gegenüber Karl Friedrich Zelter (1758–1832): *Emilia Galotti* könne auf »dem jetzigen Grade der Cultur« nicht mehr »wirksam« sein. Es bliebe nur noch der »Respect wie vor einer Mumie, die uns von alter hoher Würde des Aufbewahrten ein Zeugniß gibt« (WA IV, 46, S. 287). So steht denn Aussage gegen Aussage, wenn man Goethes Äußerung mit der Voraussage des Predigers August Eberhard (1739–1809) konfrontiert, die Friedrich Nicolai (1733–1811) im Brief an Lessing vom 7. April 1772 zitiert: »die Emilia ist ein Rock auf den Zuwachs gemacht, in den das Publicum noch hinein wachsen muß« (LM, Bd. 20, S. 157).

Diese Studienausgabe basiert auf der materialreichen historisch-kritischen Ausgabe (HKA), die Elke Bauer 2004 vorgelegt und damit den lange überfälligen Schritt gemacht hat, das Werk Lessings einer dringend notwendigen editorischen Revision zu unterziehen (vgl. auch Albrecht, 2005). Der Text der *Emilia Galotti* wurde in dieser Edition vor allem durch eine akribische Analyse der überlieferten Handschriften und Drucke kritisch geprüft. Der auf diese Weise gewonnene, auf dem Erstdruck basierende Text ersetzte damit die aus heutiger Sicht überholte Textkonstitution im zweiten Band der Lessing-Ausgabe (*Sämtliche Schriften*) von Karl Lachmann und deren Überarbeitung durch Franz Muncker aus dem Jahr 1886 (LM, Bd. 2, S. 377–450). Die Lessing-Ausgabe von Lachmann und Muncker galt jahrzehntelang als Meilenstein in der deutschen Editionslandschaft und war bzw. ist bis auf den heutigen Tag die Basis für viele Studien- und Leseausgaben, obwohl sie methodisch und häufig auch faktisch längst überholt ist. Franz Muncker kannte beispielsweise die handschriftliche Druckvorlage der *Emilia Galotti* (H²) nicht, so dass ihm auch keine zutreffende textkritische Bewertung des Erstdrucks in seinen zwei Ausformungen als Einzelausgabe und als Teil der Sammelausgabe von Lessings *Trauerspielen* gelingen konnte. Auch unterschätzte man damals noch vielfach die Konsequenzen der zeitgenössischen Buchproduktion für die Textgestalt; die analytische Buchforschung steckte zu dieser Zeit in Deutschland noch in den Kinderschuhen. Gerade im Umgang mit Texten des 18. Jahrhunderts hat sich in methodischer Hinsicht seitdem viel verändert, und Editionen wählen heute überwiegend den Erstdruck als Grundlage für die Textkonstitution, während man bis zur Mitte des 20. Jahrhunderts eine ›Ausgabe letzter Hand‹ favorisiert hatte. Der Erstdruck wird als das Dokument angesehen, mit dem meistens die öffentliche Wirkung eines Textes einsetzt, nachdem er die literarische Werkstatt verlassen hat. Lachmann und Muncker hatten sich in ihrer Edition dagegen für eine späte Textgrundlage in der Annahme entschieden, eine ›Ausgabe letzter Hand‹ bewahre den letztgültigen Autorwillen wie ein Testament. Doch Muncker äußerte damals schon erste Zweifel, ob Lessing tatsächlich noch auf diese späte Ausgabe der *Emilia Galotti* (D³) Einfluss genommen hat (LM, Bd. 22,1, S. 39). Und mit dieser Skepsis sollte er recht behalten, denn Lessings Autorwille ist eine mehr als unsichere Kategorie für die Gewinnung eines möglichst authentischen Textes. Häufig blieben seine Wünsche, in einer neuen Ausgabe den Text zu korrigieren oder gar zu revidieren, Absichtserklärungen und wurden nur unzureichend umgesetzt. In kaum einer Buchdruckerei galt der Wille des Autors unumschränkt! Entstanden sind deshalb manchmal überfremdete Texte von höchst zweifelhafter Gestalt (vgl. hierzu auch Bauer, 2008, S. 138–143). Wenn in dieser Studienausgabe dennoch mit der Kategorie der Autorintention argumentiert und damit eine Reihe von Eingriffen in die Gestalt des historischen Erstdruck-Textes begründet wird, dann geschieht das mit dem Wissen, dass es *den* einen, vom Autor gewollten Text nicht einmal in seinen eigenhändigen Manuskripten gibt, die – wie bei Lessing immer wieder zu beobachten – ebenfalls unbemerkte Versehen und Inkonsequenzen in Grammatik, Orthographie und Interpunktion in großer Zahl enthalten. Insofern ist die vorliegende Edition der *Emilia Galotti* das Ergebnis analytischer Verfahren, die die Entstehung und Drucklegung in ihren komplizierten, aber stets spannenden Abläufen zu dokumentieren, zu erläutern und für eine textkritisch transparente Edition nutzbar zu machen versuchen. Und eine solche Edition als Grundlage jeder weiteren deutenden

Auseinandersetzung mit Lessings Trauerspiel straft Goethe Lügen, denn *Emilia Galotti* ist mehr als eine verehrungswürdige »Mumie« (WA IV,46, S. 287), ist sogar ein höchst lebendiger Text, der nach wie vor nicht nur die Neugierde der Philologen oder der Kulturhistoriker zu wecken in der Lage ist.

Überlieferung

Zwei Manuskripte mit Lessings Trauerspiel *Emilia Galotti* sind über-
liefert, und zwar eine Reinschrift von Lessings Hand und eine Abschrift von fremder Hand. Der Abschrift diente Lessings Reinschrift
als Vorlage; sie wurde vom Autor korrigiert und schließlich als
Druckvorlage verwendet. Zu Lebzeiten des Autors erschienen sowohl autorisierte als auch nicht autorisierte Drucke sowie Übersetz-
zungen in mehrere Sprachen. Die folgenden Beschreibungen der
Textträger basieren auf HKA, S. 81–100.

Handschriften

H^1 Reinschrift; Staatsbibliothek zu Berlin – Preußischer Kulturbe-
sitz (Signatur: Ms. Germ. quart. 505; Inventarnummer: Access.
No. 2424). 30 Blätter, handgeschöpftes, geripptes, gelblich/ver-
gilbtes starkes Papier, Maße: 225–228 mm × 144–148 mm; Wasserzeichen: Straßburger Wappen (Schild mit Schrägbalken, darüber Lilie), Gegenzeichen: ET; nachträglich gebunden, blauer
Ledereinband mit Goldprägung; eigenhändige Reinschrift Lessings in deutscher Schrift mit hell- bzw. mittelbrauner Tinte,
überwiegend von Lessing paginiert.

Die Handschrift befand sich im Besitz des Direktors des Berliner Ge-
heimen Staats- und Kabinettsarchivs, Gustav Adolf von Tzschoppe
(1794–1842). Nach dessen Tod wurde sie vom preußischen König
Friedrich Wilhelm IV. (1795–1861) am 24. November 1846 aus dem
Nachlass Tzschoppes für die Königliche Bibliothek erworben. Von
der Handschrift wurde 1929, herausgegeben von den Freunden der
Staatsbibliothek, ein Faksimile hergestellt (Berlin: Albert Frisch,
1929).

H^2 Druckvorlage; Freies Deutsches Hochstift – Goethe-Museum,
Frankfurt a. M. (Signatur: Hs-Bd. 96/52907-972). 66 Blätter (ein-
gelegt in ein blaues Doppelblatt), handgeschöpftes, geripptes,
gelbliches, starkes Papier; die Maße schwanken je nach Format

der teilweise ineinander, teilweise einzeln liegenden Bogen
(8 Seiten), Doppelblätter (4 Seiten), Blätter (2 Seiten) um
+/- 2 mm: Bogen: 410 mm × 315 mm; Doppelblätter: 318 mm ×
206 mm; Blätter: 157 mm × 206 mm; Wasserzeichen: Hollan-
dia / PRO PATRIA, Gegenzeichen: ESG (Antiqua, Versalien,
doppelstrichig mit Ecknelken). Das von fremder Hand niederge-
schriebene Manuskript wurde von Lessing mit hell- bis dunkelbrauner, teilweise fast schwarzer Tinte überarbeitet. Die Seiten
1 bis 64 des Konvoluts enthalten Änderungen in roter und dunkelbrauner Tinte, die am Druckort Berlin vorgenommen wurden, wahrscheinlich durch den Bruder Karl Gotthelf Lessing. Die
Paginierung stammt vom Abschreiber.

Die Handschrift befand sich im Besitz Moses Mendelssohns (1729–
1786). Sie gelangte mit dem Mendelssohn-Nachlass an die University
of Chicago. Dort wurde sie bei der Zusammenstellung von Lessingiana für eine Goethe-Ausstellung wiederentdeckt (vgl. Schultz, 1949,
S. 88). Sie blieb zunächst im Besitz der Familie Mendelssohn, wurde
aber im November 1965 auf einer Auktion versteigert und vom Frei-
en Deutschen Hochstift erworben.

Drucke

Unter der Vielzahl der zu Lebzeiten Lessings erschienenen Drucke
der *Emilia Galotti* (vgl. im einzelnen HKA, S. 90–124; Lessing-Bibliographie, S. 33, 37 f., 90 f.) gibt es drei autorisierte Drucke (D^1, D^2,
D^3), wobei die Autorisation von D^3 bereits unsicher ist (vgl. HKA,
S. 99 f., 152). Der erste Druck erschien in zwei Ausgaben, einer Einzelausgabe (D$^{1.1}$) und als drittes Stück im Sammelband *Trauerspiele*
(D$^{1.2}$).

D$^{1.1}$ Emilia Galotti. | Ein Trauerspiel | in | fünf Aufzügen. | Von | Gott-
hold Ephraim Lessing. | [Holzschnittvignette: Urne mit Zweig] |
Berlin, | bey Christian Friedrich Voß, 1772. 152 S.

Die Einzelausgabe erschien im März 1772 und ist durchgehend mit
der *Trauerspiele*-Ausgabe (D$^{1.2}$) satzidentisch.

D$^{1.2}$ [In Zierrahmen:] Trauerspiele | von | Gotthold Ephraim Lessing. | Miß Sara Sampson. | Philotas. | Emilia Galotti. | [Holzschnitt- vignette] | Berlin, | bey Christian Friedrich Voß, 1772. (Text: S. 241–394)

Die Sammelausgabe (D$^{1.2}$) erschien zur Leipziger Ostermesse, die 1772 am 10. Mai begann.

D^2 Emilia Galotti. | Ein Trauerspiel | in. | fünf Aufzügen. | Von | Gotthold Ephraim Lessing. | [Holzschnittvignette: Göttin in Wolken] | Berlin | bey Christian Friedrich Voß, 1772. 152 S.

Die zweite Einzelausgabe D^2 erschien im Juli 1772. Sie basiert auf einem kompletten Neusatz. Grundlage für D^2 war ein Exemplar von D$^{1.1}$ und nicht die handschriftliche Druckvorlage (H^2).

D^3 Emilia Galotti. | Ein Trauerspiel | in | fünf Aufzügen. | Von | Gotthold Ephraim Lessing. | [Holzschnittvignette: Kartusche] | Berlin, | bey Christian Friedrich Voß, 1772. 152 S.

Das genaue Erscheinungsdatum der dritten Einzelausgabe D^3 lässt sich nicht bestimmen. Die auf komplettem Neusatz beruhende Ausgabe gibt zwar auf dem Titelblatt – wie die beiden vorausgegangenen Einzelausgaben – die Jahreszahl 1772 an, doch ist es sehr unwahrscheinlich, dass der Druck wirklich 1772 herauskam. Als Druckvorlage diente ein Exemplar von D^2.

Textgrundlage und Textgestaltung

Der Text dieser Studienausgabe basiert auf der ersten Einzelausgabe der *Emilia Galotti* (D¹·¹), da die druckanalytische Untersuchung ergeben hat, dass dieser Druck vor der *Trauerspiele*-Ausgabe (D¹·²) erschienen ist (vgl. S. 130–132 und HKA, S. 131–152). Mit dieser Einzelausgabe wurde *Emilia Galotti* aus der Werkstatt des Autors in die Öffentlichkeit entlassen. Sie war damit die Grundlage für die große Verbreitung und Wirkung des Trauerspiels. Obwohl der Druck dieser Ausgabe sorgfältig geschah und Lessing die Aushängebogen durchgesehen hat, war der Text nicht fehlerfrei. Lessing ließ daher unmittelbar nach dem Erscheinen der Einzelausgabe in verschiedenen Zeitungen eine Liste mit Druckfehlern annoncieren. Außerdem erstellte er für den Druck der zweiten Einzelausgabe (D²) eine heute verschollene Korrigendaliste, die er am 2. Mai 1772 über seinen Bruder Karl an den Verlag nach Berlin sandte (LM, Bd. 18, S. 40 f.). Eine einzige Korrektur dieser Liste ist aus Karl Lessings Brief an seinen Bruder vom 6. Juni 1772 bekannt (LM, Bd. 18, S. 181; vgl. unten zu **10**,8, S. 116).

Der Text der *Emilia Galotti* wird in dieser Studienausgabe in historischer Orthographie und Interpunktion wiedergegeben. In die historische Textgestalt wurde nur eingegriffen, um offenkundige Druckfehler zu beseitigen, oder solche Versehen zu beheben, deren Korrektur Lessing ausdrücklich vermerkt hat. Das sind zum einen die Änderungen, die Lessing in den Aushängebogen zu D¹ vorgenommen hat und die im Brief vom 2. Mai 1772 an Karl Lessing genannt sind, aber für den Druck nicht mehr berücksichtigt werden konnten. Zum anderen wurden die Versehen korrigiert, die in Zeitungen angezeigt worden waren. In Zweifelsfällen wurden die beiden Handschriften und D² als kritische Korrektive konsultiert und Abweichungen vermerkt bzw. erläutert, obwohl davon ausgegangen werden muss, dass etwaige Varianten nicht automatisch von Lessing autorisiert waren (vgl. HKA, S. 155). D¹·¹ und D¹·² wurden mit der Sigle D¹ zusammengefasst, wenn beide Drucke an den in Frage stehenden Textstellen übereinstimmen. Fehlende Punkte hinter den Sprechernamen wurden stillschweigend ergänzt. Im folgenden sind jene Stellen aufgeführt, an denen in den Text eingegriffen wurde oder die in Bezug auf die anderen Textträger diskussionswürdig sind. Der Bezugstext steht dabei jeweils vor der Lemmaklammer (]), hinter der Lemmaklammer folgt der fehlerhafte oder abweichende Text mit der jeweiligen Sigle von Handschrift oder Druck (Grundlage: HKA, S. 157–164 und S. 287–366):

Personen

6,5 GONZAGA] Gonza D^i

Erster Aufzug

7,12 nicht Galotti] nicht Gallotti D^i
9,1 vieles] Vieles H^i H^2
10,8 Gränzen] In allen Handschriften und Drucken heißt es an dieser Stelle »Gränzen« bzw. »Grenzen«. Lessing hatte aber auf einer Korrekturliste, die er seinem Brief vom 2. Mai 1772 an den Bruder Karl Lessing beilegte (LM, Bd. 18, S. 40 f.), vermerkt, dass er an dieser Stelle gerne »Schranken« sähe. Die Korrekturliste ist verschollen, die Stelle lässt sich jedoch aus einem Brief Karl Lessings vom 6. Juni 1772 erschließen: »Die zu verbessernden Druckfehler, die Du mir gesendet, kamen zu spät; aber ich besinne mich, daß ich sie alle bis auf den einzigen Seite 8. Zeile 6. statt G r ä n z e n , S c h r a n - k e n angemerkt habe« (LM, Bd. 18, S. 181).
11,22 gutes] Gutes H^i H^2
12,25 heiligen] Heiligen H^i H^2
15,26 *drehet*] kehret H^i H^2
17,17 f. entfuhr *bis* andere] entfuhr ihr eine Wendung, eine Beziehung über die andere H^i H^2 (in H^2 wurden die Anfangsbuchstaben der beiden »eine« durch den Berliner Korrektor in Majuskel geändert). Eventuell befand sich die Stelle auf der Korrekturliste Lessings in seinem Schreiben vom 2. Mai 1772, da die Berliner Änderung in D^2 und D^3 wieder zurückgenommen wurde.
19,3 herrschet] herschet D^i

19,17 rechten] ersten D^i. Lessing bemerkte zu dieser Stelle bei der Korrektur der Aushängebogen im Brief an Karl Lessing vom 1. März 1772: »Von der ersten könnte nur ein Narr so sprechen, muß es heißen: v o n d e r r e c h t e n – nehmlich von der rechten Emilia; von der, die ich (der Prinz) meyne« (LM, Bd. 18, S. 21). In der *Neuen Braunschweigischen Zeitung* vom 2. April 1772 heißt es: »Wir schliessen mit einer von dem Hrn. Verfasser uns mitgetheilten Anzeige der erheblichsten Fehler in dem Abdrucke dieses Trauerspiels: S. 22. Z. 3. von unten, für *ersten* lies *rechten*« (zit. nach: HKA, S. 441). Im *Beytrag zum Reichs-Postreuter* vom 23. April 1772 konnte man lesen: »Wir hoffen bey unsern Lesern Dank zu verdienen, wenn wir ihnen ein Verzeichniß einiger wenigen, von Herrn *Lessing* selbst am Rande angemerkten, beträchtlichen Druckfehler, die einen Mißverstand veranlassen könnten, liefern. S. 22. Z. 3 vom Ende lese man statt ersten, l. *rechten*« (zit. nach: HKA, S. 449).

19,30 Mit einem Worte] Mit Einem Worte H^i H^2

20,11 f. ein paar Freunde] ein Paar Freunde H^i H^2

20,14 *wirft*)] wirft) H^i H^2 wirft,) D^i wirft.) D^2 D^3

20,17 ja] ja, H^i H^2

21,5 betauern] bedauren D^i. In H^i und H^2 steht »betauern«. Der Berliner Korrektor (wahrscheinlich Karl Lessing) änderte »betauern« in H^2 mit roter Tinte in »bedauern«. In D^i heißt es schließlich »bedauren«. Lessing bemerkte zu dieser Stelle bei der Korrektur der Aushängebogen im Brief an Karl Lessing vom 1. März 1772: »Bedauern, wenn es so viel heißt als Mitleiden haben, muß b e t a u e r n geschrieben werden; denn es kommt von t r a u e r n. D a u e r n heißt währen, *durare*. Wenigstens habe ich diesen Unterschied beständig beobachtet« (LM, Bd. 18, S. 21). In D^2 und D^3 wurde die Stelle in »betaueren« geändert.

21,6 ihrer] Ihrer H^i H^2

21,9 f. Sie] sie H^i

21,12 Ihnen] ihnen H^i

21,13 Sie] sie H^i

21,13 Wort mit uns gewechselt] Wort gewechselt D^i. Im *Beytrag zum Reichs-Postreuter* vom 23. April 1772 wurde diese Stelle als Druckversehen angezeigt: »statt ein Wort gewechselt, l. *ein Wort mit uns gewechselt*« (zit. nach: HKA, S. 449).

21,14 Ach!] Ah, *H¹* Ah! *H²*. In seinen *Anmerkungen zu Steinbachs deutschem Wörterbuch* bemerkt Lessing: »A h ! Diese Interjection verdienet auf alle Weise aus der französischen Sprache in die deutsche übergenommen zu werden, weil sie sich weder durch unser Ach, noch durch unser O geben läßt, und fast der natürliche Ton bey gewißen Ausruffungen des Verdrußes und Widerwillens ist, mit welchem weder Schmerz noch Verwunderung verknüpft ist, daß sie dort durch Ach und hier durch O ausgedrückt werden könnte« (LM, Bd. 16, S. 8). Man kann also davon ausgehen, dass Lessing bewusst »Ah« und nicht »Ach« gewählt hat. Auf eine Emendation an dieser Stelle wurde dennoch verzichtet, weil Lessing »Ach« im Druck auch an anderen Stellen nicht korrigiert hat (vgl. **26**,10 und **34**,3).

21,23 einen Raub] ein Raub *H¹ H²*. Der Berliner Korrektor veränderte in *H²* »ein Raub« in »einen Raub«.

21,26 ist da] da ist *D¹*. Lessing bemerkte zu dieser Stelle bei der Korrektur der Aushängebogen im Brief an Karl Lessing vom 1. März 1772: »Retten? da ist viel zu retten! muß es heißen: i s t d a v i e l z u r e t t e n ?« (LM, Bd. 18, S. 21).

22,12 Schmeicheln] Schmeichelen *D¹*

22,24 Dosalo] Dosala *D¹*. In den Handschriften *H¹* und *H²* sowie den Drucken *D²* und *D³* heißt es an dieser Stelle »Dosalo«, aber auch an allen anderen Stellen in *D¹*. Der historische Ort in Italien, zwischen Sabionetta und Guastalla in der Emilia Romagna gelegen, heißt dagegen Dosolo.

22,30 dieser Gesandte] diesen Gesandten *D¹*. In *H¹* und *H²* steht »Laßen Sie den Grafen dieser Gesandte seyn«. In *H¹* wurde die Stelle durch den Berliner Korrektor (wahrscheinlich Karl Lessing) mit roter Tinte in »Lassen Sie den Grafen diesen Gesandten seyn« abgeändert. Lessing schrieb seinem Bruder Karl Lessing zu dieser Stelle nach Korrektur der Aushängebogen am 1. März 1772: »Lassen Sie den Grafen diesen Gesandten seyn. So habe ich ganz gewiß nicht geschrieben, und es ist undeutsch. Es muß heißen: L a s s e n S i e d e n G r a f e n d i e s e r G e s a n d t e s e y n« (LM, Bd. 18, S. 21).

23,10 genung] genug H^1 genung $H^2 D^1$ genug $D^2 D^3$

24,24 geschehen] gesehen D^1. In H^2 hatte der Schreiber irrtümlich »gesehen« abgeschrieben, was der Setzer dann in den Druck übernahm. Lessing mahnte dieses Versehen im Brief vom 1. März 1772 bei seinem Bruder an: »wo es für gesehen, heißen muß g e s c h e - h e n « (LM, Bd. 18, S. 21). Karl Lessing sah daraufhin offensichtlich nochmals in die Druckvorlage (H^2) und unterstrich das Wort »gesehen« mit dunkler Tinte. In der *Neuen Braunschweigischen Zeitung* vom 2. April 1772 wurde diese Stelle als Druckversehen angezeigt: »für *gesehen* lies *geschehen*« (zit. nach: HKA, S. 441).

Zweyter Aufzug

26,10 Ach!] Ah! $H^1 H^2$ (vgl. **21,**14)

26,21 Sie] sie H^1

29,15 junge] jungen H^1

30,14 ewig!] ewig? $D^1 D^2 D^3$. In H^1 steht »ewig!«, in H^2 ist das Ausrufezeichen etwas ›verunglückt‹. Vermutlich hat es der Setzer als Fragezeichen angesehen.

31,3 Glücke. –] Glücke! – H^1

31,31 *Pirro geht ab*] Pirro geht $H^1 H^2$

32,22 O Claudia!] O Claudia! Claudia! $H^1 H^2$. In H^2 folgt nach dem ersten »Claudia!« ein Zeilenwechsel. Es handelt sich also vermutlich um einen häufig vorkommenden Druckfehler: Der Setzer hat demnach das zweite »Claudia!« schlicht übersehen.

32,31 nicht] nichr D^1

34,3 Ach] Ah $H^1 H^2$ (vgl. **21,**14)

34,20 mich, –] mich! – $D^1 D^2 D^3$

34,29 Seufzer] Seufer D^1

36,26–28 steigen – – *bis* Ich] steigen –. Die Furcht hat ihren besondern Sinn. | CLAUDIA. Ich $H^1 H^2$. Die Änderung stammt von Karl Lessing und wurde von Lessing akzeptiert, dies geht aus dem Briefwechsel hervor. Karl Lessing macht den Bruder in seinem Brief vom 3. Februar 1772 auf einen vermeintlichen Abschreibefehler aufmerksam: »S. 41., in der Scene, wo die Tochter der Mutter ihren Vorfall in der

Kirche erzählt, hat der Abschreiber einen Fehler gemacht. Er hat die Worte: Die Furcht hat ihren besondern Sinn, der Emilia in den Mund gelegt, welche sie in ihrer furchtsamen Fassung nicht sagen kann; sie kommen der Claudia zu« (LM, Bd. 20, S. 127). Lessings äußert sich in seinem Antwortschreiben vom 10. Februar 1772 folgendermaßen zu dieser Stelle: »Die Stelle S. 41. Die Furcht hat ihren besondern Sinn; muß ich Dir gestehen, ist, so wie sie ist, zwar kein Fehler des Abschreibers. Doch laß ich mir Deine Veränderung gefallen. Im Grunde soll es gar keine besondere tiefe Anmerkung seyn, welche Emilia freylich in ihrer Verfassung nicht machen könnte; sondern sie soll bloß damit sagen wollen, daß sie nun wohl sehe, die Furcht habe sie getäuscht. Aber freylich, der Ausdruck ist ein wenig zu gesucht. Wenn es der Claudia in den Mund gelegt wird, so laß hinter das Wort Sinn nur einen Strich (–) setzen, daß es mit dem Folgenden nicht zusammen ausgesprochen wird« (LM, Bd. 18, S. 18). Karl Lessing befolgte Lessings Wünsche nur bedingt, indem er anstatt des geforderten einfachen Striches nach »Sinn« »meine Tochter!« ergänzte (vgl. HKA, S. 128).

38,7 galant.] galant D^1

38,11 f. in dieser Sprache] in ihr H^1 H^2. In H^2 wurde das »ihr« mit roter Tinte, vermutlich durch den Berliner Korrektor, zu »dieser Sprache« verändert (vgl. HKA, S. 126).

38,20 f. *Augen*] Augen, H^1 H^2

38,21 *kömmt näher*] kömmt ihnen näher H^1 H^2

39,4 *erblickt*] erblikt D^1

40,15 Nun!] Nun? H^1 H^2

40,24 Thränen –] Thränen! – H^1 H^2

41,27 Einen Schritt] einen Schritt H^1 H^2

43,19 sollte] solle H^1 H^2

45,24 leid thut] Leid thut H^1 H^2

45,27 ihn] ihm D^1 ihn D^2 D^3

46,24 Nicht doch!] – Nicht doch! Nicht doch! H^1 H^2

49,9 ihm verdenken?] ihm auch verdenken? *H¹ H²*

49,20 MARINELLI] Marinelle *D¹*

49,28 mehr als halbes Weges] In H¹ und H² stand »mehr als halben Weges«. Der Berliner Korrektor (wahrscheinlich Karl Lessing) änderte mit roter Tinte »halben« in »halbes«.

50,3 kühn.] kühn! *H¹*

50,9 einen Wagen] ein Wagen *H¹*

51,11 Während des Handgemenges] In H¹ und H² stand »Während dem Handgemenge«. Der Berliner Korrektor (wahrscheinlich Karl Lessing) änderte mit roter Tinte in »des Handgemenges«.

52,20 mit dem Grafen] mit dem Grafen *H¹* mit den Grafen *H² D¹* mit dem Grafen *D² D³*. Es handelt sich um einen Abschreibefehler in *H²*, der vom Setzer des ersten Druckes übernommen wurde. Emendiert wurde, weil Lessing die Präposition ›mit‹ sonst nur mit Dativ verwendet.

53,2 weinen!] weinen, *H¹ H²*

53,2 ehrlichen] ehrli|lichen *D¹*

53,18 So geh.] So geh! *H¹*

56,1 Ihnen] ihnen *H¹ H²*

56,12 aus dem Wagen] aus den Wagen *H¹ H²* (vgl. **60**,27)

56,23 Wirthschaftshäusern] Wirthsschaftshäusern *D¹*

58,8 sie] Sie *H¹ H² D¹*. Lessing beachtete an dieser Stelle die von ihm in H¹ ansonsten bewusst verwendete Groß-/Kleinschreibung nicht. Da die Stelle in D² aber korrigiert wurde, kann man wohl von einem Schreibversehen Lessings ausgehen.

58,12 thun!] thun? *H¹*

58,24 anhörten,] anhörten, oder vielmehr nicht anhörten, *H¹ H²*. Da die Stelle in den Folgedrucken nicht mehr korrigiert wurde, ist hier nicht emendiert worden.

58,29 Glückes] *fehlt D¹*. In der *Neuen Braunschweigischen Zeitung* vom 2. April 1772 wird diese Stelle als Druckversehen angezeigt: »fehlt nach *günstigen* das Wort *Glückes*. –« (zit. nach: HKA, S. 441); ebenso im *Beytrag zum Reichs-Postreuter* vom 23. April 1772: »statt eines günstigen erklären, l. *eines günstigen Glücks erklären*« (zit. nach: HKA, S. 449f.).

58,30 endlichen] endlichen H^1 H^2 redlichen D^1 endlichen D^2 redlichen D^3. In der *Neuen Braunschweigischen Zeitung* vom 2. April 1772 wurde diese Stelle als Druckversehen angezeigt: »für *redlichen* lies *endlichen*« (zit. nach: HKA, S. 441); ebenso im *Beytrag zum Reichs-Postreuter* vom 23. April 1772: »statt redlichen, *endlichen*« (zit. nach: HKA, S. 450). Karl Lessing teilte bereits am 12. März 1772 nach Durchsicht der Erstausgabe ($D^{1.1}$) seinem Bruder mit: »S. 83. redlichen Verurtheilung, statt e n d l i c h e n V e r u r t h e i l u n g« (LM, Bd. 20, S. 145).

60,12 die beste] Die beste H^1 H^2

60,27 aus dem Wagen] aus den Wagen H^1 H^2 (vgl. **56**,12)

61,1 Dich] dich H^1 H^2

61,19 Der] der H^1 H^2

Vierter Aufzug

67,15 Aber wer mehr? Auch die Mutter?] Aber wer mehr? Wer wird es mehr glauben? Auch der Vater? Auch die Mutter? H^1 H^2. In H^2 ist der Setzer offensichtlich nach »mehr?« eine Zeile tiefer gerutscht, denn das »Auch« steht genau eine Zeile darunter ebenfalls nach einem Fragezeichen. Da die Stelle in den Folgedrucken nicht mehr korrigiert wurde, ist hier nicht emendiert worden.

67,25 gemußt] gewußt D^1. Im *Beytrag zum Reichs-Postreuter* vom 23. April 1772 wurde diese Stelle als Druckversehen angezeigt: »statt gewußt, l. *gemußt*« (zit. nach: HKA, S. 450).

68,6 stilles] *fehlt* D^1 ein kleines stilles Verbrechen, ein kleines heilsames Verbrechen H^1 H^2 ein kleines Verbrechen, ein kleines heilsames Verbrechen D^1 ein kleines Verbrechen, ein kleines stilles heilsames Verbrechen D^2 D^3. In der *Neuen Braunschweigischen Zeitung* vom 2. April 1772 wurde diese Stelle als Druckversehen angezeigt: »fehlt *stilles* nach dem Worte *kleines*« (zit. nach: HKA, S. 441). Karl Lessing teilte seinem Bruder bereits am 12. März 1772 nach Durchsicht der Erstausgabe ($D^{1.1}$) mit: »S. 96. Nur, guter Freund, muß es ein kleines Verbrechen; statt daß es heißen sollte: muß ein kleines stilles Verbrechen seyn. Denn bleibt hier stilles weg, so ist der Nachsatz sehr unschicklich« (LM, Bd. 20, S. 145).

68,26 gethan –] gethan hat, – *H¹ H²*

69,11 wenn] wann *H¹ H²*

70,1 f. *Battista geht ab*] Battista ab *H¹ H²*

72,10 Schurke] Schurcke *D¹*

73,3 ich,] ich. *H¹ H²*

75,16 *aus*] ans *D¹*

76,5 Hab' ich, hab' ich wirklich?] Hab' ich? Hab' ich wirklich? *H¹* Hab' ich? hab' ich wirklich? *H²*

77,29 unglückliche] Unglückliche *D¹*. Nur in *D¹* ist »unglückliche« groß geschrieben. Insofern liegt ein Druckfehler nahe. Man könnte aber auch argumentieren, dass die Großschreibung der Betonung diene.

78,21 nur.] nur! *H¹*

80,3 *dem*] den *D¹ D²*

80,24 Uebels] Übles *H¹ H²*

81,9 nach Ihren Wagen] nach Ihrem Wagen *D³*. In *H¹* ist nicht eindeutig zu erkennen, ob es »Ihrem« oder »Ihren« heißt.

81,28 sich] Sich *H¹ H²*

82,3 *unter welchem*] unter welchen *H¹ H²*

82,7 ODOARDO] Odoarda *D¹*

83,13 unsers] unsres *H¹ H²*

83,13 unserer] unsrer *H¹ H²*

83,20 wollen] wollten *H¹ H²*

84,17 *und stampft*] nnd stampft *D¹*

86,22 Nun] Nun? *H¹ H²*

87,4 f. kann sie *bis* daß sie] kann Sie *bis* daß Sie *H¹ H²*

Fünfter Aufzug

88,17 sich,] sich *D¹*

89,1 außer meinen Gebiethe] außer meinem Gebiethe *H¹ D² D³*

89,10 f. alte Neidhart,] Die Stelle heißt in *H²* »alte garstige Neidhart«

wie auch zuerst in H¹. In H¹ strich Lessing später das Wort »garstig«.
Er schrieb zu dieser Stelle am 1. März 1772 an Karl Lessing: »Wenn
Act. 5. Sc. 1 noch nicht gedruckt ist, so laß aus den Worten des Marinelli: Der alte garstige Neidhardt, das garstig weg;
der alte Neidhardt ist genug« (LM, Bd. 18, S. 22; die Schreib-
weise »Neidhardt« ist nicht sicher).

93,18 DER PRINZ] DerPrinz $D^{1.1}$. Der Fehler ist nicht in der gesamten
Auflage von $D^{1.1}$ vorhanden, d. h. hier wurde während des Druckvorgangs eine Korrektur vorgenommen (vgl. HKA, S. 150).

97,18 Grimaldi] Grinaldi $D^{1.1}$. Der Fehler ist nicht in der gesamten
Auflage von $D^{1.1}$ vorhanden, d. h. hier wurde während des Druckvorgangs eine Korrektur vorgenommen (vgl. HKA, S. 150). Grimaldi $D^{1.2}$ (vgl. HKA, S. 151).

97,23 müste] müße H^1 müßen H^2 müste D^1 D^2 D^3

97,24 dem] den D^1

98,12 lasse mir alles] lasse mir ja alles H^1 H^2

98,28 *ab*] gb $D^{1.1}$. In den *Trauerspielen* ($D^{1.2}$) ist dieses Druckversehen
in einigen Exemplaren korrigiert (vgl. HKA, S. 151).

100,18 Noth?] Noth! H^1 H^2

101,16 beiden – beiden!] beiden – beiden! – H^1 H^2 beyden – beiden! –
$D^{1.1}$ beiden – beiden! – $D^{1.2}$ beyden – beyden! – D^2 D^3. Dies ist vermutlich die einzige Presskorrektur, also eine Korrektur während
des Druckvorgangs, die einen Unterschied zwischen $D^{1.1}$ und $D^{1.2}$
markiert (vgl. HKA, S. 151).

101,17 Himmels willen] Himmelswillen D^1

102,18 ODOARDO] Odoordo D^1

104,13 *ihm*] ihn H^2 D^1

104,18 verstellen?] verstellen! H^1 H^2

Folgende Zeichen und typographische Auszeichnungen werden verwandt:

|	Ein senkrechter Strich markiert einen Seiten- bzw. Zeilen-wechsel in der Textvorlage, bei bibliographischen Anga-ben einen Zeilenwechsel.
EMILIA	Rollen- und Sprechernamen erscheinen in Kapitälchen.

stolz   Szenenangaben und Spielanweisungen erscheinen in Kur-
          siven.

Da es in dieser Studienausgabe um die Dokumentation des Texts und
seiner Entstehung geht, wurde auf eine Darstellung der Wirkungsge-
schichte und einen Kommentar verzichtet; hingewiesen wird ausdrücklich auf die *Erläuterungen und Dokumente* zu Lessings *Emilia
Galotti* von Gesa Dane (Reclams Universal-Bibliothek Nr. 16031). Insbesondere die historisch-kritische Ausgabe (HKA) gibt die Zeugnisse
zur Entstehung und Rezeption in größtmöglicher Vollständigkeit
wieder.

Entstehung und Druckverlauf

Die Entstehung der *Emilia Galotti* ist erst ab Herbst 1771 gut doku-
mentiert. Die Beschäftigung Lessings mit dem antiken Virginia-Stoff
und den ihm zugrundeliegenden Quellen reicht allerdings viel weiter
zurück. Die Arbeit am Dramenprojekt umfasst insgesamt eine Zeit-
spanne von beinahe zwanzig Jahren. Aber gerade dieser lange Zeit-
raum, in dem Lessing an dem Dramenprojekt manchmal mehr,
manchmal weniger intensiv gearbeitet hat, zeigt im Ergebnis die
»wachsende ästhetische Gestaltungskraft« (Lessing, *Werke und Briefe*, Bd. 7, S. 829) des Dramenautors und sein Gespür für publikums-
wirksame Theatersujets. In den späten 1740er bzw. frühen 1750er
Jahren beschäftigte sich Lessing erstmals mit den Berichten bei Li-
vius (59 v. Chr. – 17 n. Chr.) und Dionysios von Halikarnassos (1. Jh.
v. Chr.) über das tragische Schicksal der jungen Römerin Virginia,
die von ihrem Vater erstochen wird, um ihre Unschuld und ihre Freiheit
vor den Nachstellungen des Decemvirn Appius sowie der Sklaverei
zu bewahren. Außerdem interessierten ihn die zahlreichen dramatischen Bearbeitungen, von denen Lessing vermutlich die des Franzo-
sen Jean Galbert de Campistron (1656–1723) aus dem Jahr 1683, ganz
sicher aber die Dramatisierung (1755) des Spaniers Agustín de Mon-
tiano y Luyando (1697–1765), die (1755) des Engländers Henry Samuel
Crisp (1707–1783) oder die (1755) des Deutschen Johann Samuel Patz-
ke (1727–1787) kannte (vgl. hierzu HKA, S. 165–174; Lessing, *Werke
und Briefe*, Bd. 7, S. 837–848). Ergänzt wurde diese Sichtung dramati-
scher Virginia-Bearbeitungen um das Studium der Trauerspiele
Senecas (um 4 v. Chr.– 65 n. Chr.; vgl. Lessings Abhandlung im zweiten Stück der *Theatralischen Bibliothek*, 1755; LM, Bd. 6, S. 167–242).
1756 folgte der Versuch, in einem unvollendet gebliebenen Drama
Das befreyte Rom (LM, Bd. 3, S. 358 f.) einen Stoff aus der Zeit der römischen Republik umzusetzen, wobei es ebenfalls um Tyrannen-
mord und die Verherrlichung republikanischer Freiheiten ging. Das
auslösende Moment für die eigene Dramatisierung und damit erkennbar eine Modernisierung (Ter-Nedden, 1986, S. 2) des Virginia-
Stoffes dürfte schließlich eine Preisaufgabe für eine deutsche Tragö-

die gewesen sein, die Friedrich Nicolai im April 1755 im Werbeprospekt für die von ihm herausgegebene *Neue Bibliothek der schönen Wissenschaften und freyen Künste* ausgeschrieben hatte. Ergänzt werden sollte das einzureichende Stück um eine Abhandlung über das Trauerspiel. Lessing reagierte ausgesprochen positiv auf dieses Vorhaben des Berliner Freundes und plante, sich anonym mit »einem Trauerspiele, welches vielleicht unter allen das beste werden dürfte«, an dem Wettbewerb zu beteiligen (Brief an Moses Mendelssohn, 22. Oktober 1757; LM, Bd. 17, S. 126). Am 25. November 1757 lässt Lessing Nicolai wissen, dass die Tragödie, »an der ein junger Mensch hier noch arbeitet« (LM, Bd. 17, S. 128), in drei Wochen abgeschlossen sei und unbedingt für den Wettbewerb berücksichtigt werden müsse. Am 21. Januar 1758 berichtet Lessing Nicolai erneut unter dem Deckmantel der Anonymität, aber nun konkreter von den Plänen des »jungen Tragikus« für »eine bürgerliche Virginia, der er den Titel E m i l i a G a l o t t i gegeben« (LM, Bd. 17, S. 133) habe. Er nannte hier erstmals den Stoff für sein geplantes Trauerspiel. Gegenüber Nicolai skizziert Lessing die Struktur des auf drei Akte angelegten Stücks und gibt Einblick in seine Stoffbearbeitung, die einen erkennbar moralischen und nicht politischen Zuschnitt habe: »Er [»der junge Tragicus«] hat nehmlich die Geschichte der römischen Virginia von allem dem abgesondert, was sie für den ganzen Staat interessant machte; er hat geglaubt, daß das Schicksal einer Tochter, die von ihrem Vater umgebracht wird, dem ihre Tugend werther ist, als ihr Leben, für sich schon tragisch genug, und fähig genug sey, die ganze Seele zu erschüttern, wenn auch gleich kein Umsturz der ganzen Staatsverfassung darauf folgte« (LM, Bd. 17, S. 133). Die offenbar mit großem Enthusiasmus aufgenommene Arbeit erlahmte jedoch bald, und es gelang Lessing nicht, das Projekt zu realisieren; konkrete Gründe für das Scheitern kennen wir nicht. Aber das Projekt war die Initialzündung für einen Briefwechsel zwischen Lessing, Nicolai und Mendelssohn über theatertheoretische Fragen und über die Idee eines spezifisch bürgerlichen Trauerspiels, der später als ›Briefwechsel über das Trauerspiel‹ in die Literaturgeschichte einging.

In der Zeit als Dramaturg am Hamburger Nationaltheater (1767–

1769) hatte Lessing die *Emilia Galotti* zwar nicht aus den Augen verloren, aber über Pläne für eine nun fünfaktige Theaterfassung für die Hamburger Schauspieltruppe kam er wiederum nicht hinaus (gegenüber dem Bruder Karl bezeichnete Lessing am 10. Februar 1772 diese Fassung als »Hamburger Ausarbeitung«, die »nur gespielt, aber nie gedruckt werden sollte«; LM, Bd. 18, S. 19). Erst als Lessing im September 1769 seine Tätigkeit als Bibliothekar an der Wolfenbütteler Bibliothek aufnahm, fand er neben seinen dienstlichen Verpflichtungen und dem persönlichen, oftmals deprimierenden Auf und Ab in dieser Zeit offensichtlich die Ruhe, sich dem alten Trauerspielplan konzentrierter zu widmen. Es sollte jedoch noch einmal zwei Jahre dauern, bis Lessing die Arbeit an der »neue[n] Tragödie« tatsächlich wieder aufnahm (Brief an Karl Lessing, 19. November 1771; LM, Bd. 20, S. 84), denn ihn behinderte nun der Umstand, im abgeschiedenen Wolfenbüttel auf den unmittelbaren Umgang und den geistigen Austausch mit Freunden verzichten zu müssen. Gegenüber dem Bruder Karl klagte er am 25. Januar 1772 (LM, Bd. 18, S. 10): Bei der Arbeit an der *Emilia Galotti* drohe er manchmal einzuschlafen, wenn man niemanden habe, mit dem man darüber reden könne. Motivierend für das Aufgeben seiner aktuellen Vorbehalte gegen das Theater dürfte die Tatsache gewesen sein, dass Lessing mit dem Berliner Verleger Christian Friedrich Voß (1722–1795) im September 1771 eine Ausgabe mit Trauerspielen verabredet hatte, für die auch *Emilia Galotti* vorgesehen war. Zweifellos spielten außerdem Geldsorgen bei der zügigen Vollendung der *Emilia Galotti* eine Rolle, denn Lessing konnte das vereinbarte Honorar für die *Trauerspiele* gut gebrauchen und hatte darum den Verleger am 6. Dezember 1771 schon um einen Vorschuss von 600 Talern gebeten (LM, Bd. 17, S. 413). Am 24. Dezember 1771, die Drucklegung der *Trauerspiele* war bereits in vollem Gange, versicherte er dem drängenden Verleger, dass er an der Niederschrift der *Emilia Galotti* sitze und man in Berlin spätestens Mitte Januar 1772 mit einer Reinschrift rechnen könne (LM, Bd. 17, S. 422).

Reinschrift (H¹) und Druckvorlage (H²)

Mit Hochdruck arbeitete Lessing im Dezember 1771 und Januar 1772 an dieser Reinschrift (H¹). Parallel dazu ließ er sukzessive eine separate Druckvorlage (H²) durch einen von ihm beauftragten Schreiber anfertigen. Obwohl Lessing seine ehrgeizige Zeitplanung nicht ganz einhalten konnte, schickte er etwa Mitte Januar 1772 die »erste Hälfte« der Druckvorlage nach Berlin, um parallel dazu dem Verleger und seinem Bruder in getrennten Briefen am 25. Januar 1772 anzukündigen: »Binnen acht Tagen, wenn ich mit dem Abschreiben nicht aufgehalten werde, soll der Rest folgen« (LM, Bd. 18, S. 10). Außerdem ermahnte er den Bruder, bei der im Verlag anstehenden »Correctur allen Fleiß zu wenden« (LM, Bd. 18, S.10). Diese ›Correctur‹ lässt sich in der Druckvorlage durch entsprechende Eingriffe in den Text und durch Hinweise für den Druck gut nachvollziehen (vgl. HKA, S. 125–131). Begleitet wurde die Arbeit von dem Briefwechsel der Brüder, mit dem die gesamte Drucklegung kritisch überwacht wurde und der darüber hinaus inhaltliche Vorschläge enthielt, die Lessings Zweifel an der Dramenkonstruktion und Unzufriedenheit mit dem Text beseitigen halfen. Karl Lessing erfüllte die in ihn gesetzten, durchaus hohen Erwartungen seines Bruders, obwohl der eigentliche Druck nicht in Berlin, sondern »auswärts« erfolgte (Brief Karl Lessings an den Bruder, 6. Juni 1772; LM, Bd. 20, S. 181) und die Kontrollmöglichkeiten dadurch eingeschränkt waren. Obwohl die Druckvorlage unter Zeitdruck entstanden war, handelt es sich doch um eine weitgehend sorgfältige Abschrift. Lessing korrigierte sie vor der Absendung nach Berlin, wobei er nicht nur Abschreibefehler verbesserte, sondern auch stellenweise den Text noch einmal veränderte. Neben der Grundschicht – der Hand des Abschreibers –, die in hell- bis dunkelbrauner Tinte geschrieben ist, enthält die Handschrift mehrere Änderungsstufen. Sie sind durch unterschiedliche Tintenfarben und Schreiberhände zu erkennen. Die genaue Zuordnung mancher Änderung erweist sich trotzdem als schwierig, da ein Verlagskorrektor mit roter und brauner Tinte weitere Eintragungen (insbesondere Vereinheitlichungen von Orthographie und Interpunktion) vorgenommen hatte. Bei diesem Korrektor handelte es sich aller Wahrscheinlichkeit nach um Lessings Bruder Karl, der neben seinem Brotberuf immer wieder einmal für den Verleger Voß arbeitete und 1776 sogar sein Schwiegersohn wurde. Die Druckvorlage wurde in vier Teilen – Lessing nennt diese Sendungen »Flatschen« (Brief von Karl Lessing an seinen Bruder Gotthold Ephraim, 1. März 1772; LM, Bd. 18, S. 137) – nach Berlin geschickt; die letzte Partie gab Lessing am 1. März 1772 auf die Post (LM, Bd. 18, S. 20). Am 15. Februar 1772 kündigte Karl Lessing die ersten Korrekturbogen an, die auf dem Weg nach Wolfenbüttel seien (LM, Bd. 18, S. 133), und am 29. Februar folgten die nächsten drei Bogen (LM, Bd. 18, S. 136).

Erstdruck (D¹)

Der Erstdruck (D¹) der *Emilia Galotti* erschien in zwei Ausgaben, und zwar einmal als Einzelausgabe (D¹·¹) und zum anderen im Rahmen einer Sammelausgabe der *Trauerspiele* (D¹·²). Diese Vorgehensweise war nicht ungewöhnlich für die Buchproduktion im 18. Jahrhundert, beim Druck der *Minna von Barnhelm* (1767) wurde neben der Sammelausgabe der *Lustspiele* auch eine Einzelausgabe hergestellt und *Miß Sara Sampson* erschien ebenfalls separat und als Teil der *Trauerspiele*. Solche, auf denselben gesetzten Druckformen beruhende Parallelausgaben konnten jedoch Varianten enthalten, die in den überwiegenden Fällen nicht auf den Autor zurückgingen, im Einzelfall aber durchaus autorisiert sein konnten und deshalb ein ernstzunehmendes textkritisches Phänomen sind. Wie wurden diese Parallelausgaben hergestellt? Bücher wurden bogenweise gedruckt. Normalerweise löste man die Druckformen nach dem Druck von zwei bis drei Bogen wieder auf, weil die Buchstabenmenge der Druckerei begrenzt war. Jeder Bogen war mit einer Signatur, der Bogensignatur (A, B, C usw.), versehen. War das Druckeralphabet einmal durch – es bestand nur aus 23 Buchstaben (J, V, W wurden nicht verwendet) –, ging es mit Aa, Bb, Cc weiter. Diese Signaturen ermöglichten es später dem Buchbinder, beim Binden die richtige Reihenfolge der Bogen und Blätter zu erkennen.

Für die Entschlüsselung des Druckvorgangs im Fall der beiden satzgleichen Ausgaben der *Emilia Galotti* (D$^{1.1}$ und D$^{1.2}$) sind die Auszeichnungen des Druckers in der Druckvorlage (H^2) von besonderer Bedeutung. Mit ihrer Hilfe ist zu rekonstruieren, dass beim Satz der *Emilia Galotti* zunächst immer zuerst der Bogen für die *Trauerspiele* gesetzt worden war. Hatte man die gewünschte Auflagenhöhe der einzelnen Bogen erreicht, tauschte man die Seitenpaginierung und die Bogensignatur aus, entfernte die am unteren linken Rand der ersten Bogenseite vorhandene Bogennorm »Trauerspiele.« und druckte die entsprechende Auflagenhöhe der Einzelausgabe. Danach wurden die Druckformen aufgelöst und die nächsten Bogen für die *Trauerspiele*-Ausgabe gesetzt. Es wurden also nicht zuerst die kompletten *Trauerspiele* gesetzt und gedruckt, sondern der Druck ging Bogen für Bogen vor sich. Gegen Ende des Druckprozesses änderte sich jedoch die Reihenfolge der zu druckenden Ausgaben, so dass letztlich die Einzelausgabe der *Emilia Galotti* als erste fertig gedruckt vorlag (zu den Einzelheiten des komplizierten Herstellungsprozesses vgl. HKA, S. 131–152). Zusammenfassend lässt sich daher festhalten, dass es sich sowohl bei der Ausgabe der *Trauerspiele* (D$^{1.2}$) als auch bei der Einzelausgabe (D$^{1.1}$) der *Emilia Galotti* um den Erstdruck handelt. Beide Ausgaben sind auf allen Seiten bis auf wenige satzinterne Varianten satzidentisch. Auf den letzten Seiten stimmt nur der Seitenumbruch nicht mehr überein, denn um einen halben Bogen Papier zu sparen, wurde der Zeilenabstand der Einzelausgabe verringert. Dies war bei den Druckbogen der *Trauerspiele* nicht möglich, da sich auf dem letzten Bogen auch das Titelblatt der *Trauerspiele* befand. Entscheidend ist aber, dass nicht die *Trauerspiele*-Ausgabe (D$^{1.2}$), sondern die Einzelausgabe (D$^{1.1}$) zuerst veröffentlicht wurde. Dafür sprechen neben den rekonstruierbaren Druckabläufen und der Auszeichnung der Druckvorlage (H^2) durch den Drucker auch die entstehungs- und wirkungsgeschichtlichen Dokumente wie Anzeigen und erste Rezensionen (vgl. HKA, S. 154 f.). So bestätigt der Verleger Voß in seinem Brief vom 10. März 1772, mit dem er Lessing Belegexemplare der Einzelausgabe nach Wolfenbüttel schickte, genau diese Entstehungsfolge der beiden Ausgaben: »Hier Liebster Freund! sind ein Dutzend

Galotti, Halb gut Pap. halb *ordin.* in Silber und blau, damit Sie gleich Gebrauch machen können. Binnen einigen Tagen werden nun auch die Trauerspiele fertig« (LM, Bd. 22,1, S. 312). Das Bücherpaket kam vermutlich am 14. März in Wolfenbüttel an; einen Tag später legte Lessing ein Exemplar der Einzelausgabe seinem Brief an Eva König (1736–1778) vom 15. März bei und schreibt: »Erst gestern habe ich Exemplare davon erhalten« (LM, Bd. 18, S. 24). Die Sammelausgabe der *Trauerspiele* erschien zur Leipziger Ostermesse, die 1772 am 10. Mai begann.

Bei aller Sorgfalt blieb der Erstdruck der *Emilia Galotti* nicht von Druckversehen verschont. Sowohl die *Neue Braunschweigische Zeitung* (Nr. 53, 2. April 1772) als auch der in Altona erscheinende *Beytrag zum Reichs-Postreuter* (32. Stück, 23. April 1772) veröffentlichten eine Liste mit zu korrigierenden »erheblichsten Fehler« in der Einzelausgabe, die der Autor beiden Zeitungen mitgeteilt hatte (HKA, S. 441, 449 f.). Bereits am 12. März 1772 hatte Karl Lessing dem Bruder, nachdem er das Trauerspiel erstmals als Ganzes gelesen hatte, zerknirscht geschrieben: »Aber eben diese Druckfehler sollen Beweise meiner Aufmerksamkeit seyn. Wahrhaftig! ein genauer Corrector muß nicht lesen, sondern buchstabiren, Sylben und Worte zählen. Und das habe ich nicht thun können, ob ich mich gleich mit dem Vorsatze es zu thun hinsetzte, und meine Neugierde schon längst gestillt war« (LM, Bd. 20, S. 145). Gleichzeitig versprach der Bruder, »bey einer neuen Auflage, die nicht lange ausbleiben wird, alle Fehler zu verbessern« (LM, Bd. 20, S. 145). Der zweite Druck (D²) ließ wegen der großen Nachfrage in der Tat nicht lange auf sich warten. Er enthielt aber neben der Korrektur früherer Druckfehler auch wieder neue, obwohl Lessing dem Bruder am 2. Mai 1772 eine sorgfältige Revision auf Grundlage einer mitgeschickten, heute allerdings verschollenen Druckfehlerliste ans Herz gelegt hatte: »Es soll mir indeß doch sehr lieb seyn, wenn bey der neuen Auflage, wie Du mir versprichst, die Druckfehler verbessert werden. Doch vielleicht weißt Du sie nicht einmal alle. Ich will sie also beylegen. Aber stehst Du mir auch dafür, daß, wenn diese wegbleiben, sich nicht andere, und eben so grobe, dafür einschleichen? Damit es gewiß nicht geschieht, so überlaß jetzt die ganze Arbeit lieber einem gedungenen Corrector. Dir möchte alles zu bekannt seyn, und dann glaubt man oft zu lesen, was man nicht liest. Es ist genug, wenn Du Dir die letzte Revision geben läßt« (LM, Bd. 18, S. 40). Auch für die folgenden Drucke wünschte Lessing die Ausmerzung von Fehlern oder machte Änderungsvorschläge, die jedoch keinerlei Berücksichtigung mehr fanden, entweder weil sie zu spät im Verlag eintrafen oder ganz einfach nicht ausgeführt wurden.

Alle Dokumente aus dem Umfeld der Entstehung der *Emilia Galotti* unterstreichen die große Anstrengung und Energie, mit der Lessing offenbar bis zur Erschöpfung an diesem Dramenprojekt gearbeitet hat. Zuletzt spricht er gegenüber dem Bruder Karl am 22. April 1772 sogar von »Zerrüttung« seiner derzeitigen Lebensumstände und ergänzt deprimiert: »Fast bin ich wieder da, wo ich vor dem Jahre war; und wenn ich mich schlechterdings anstrengen muß, so kann es noch schlimmer werden« (LM, Bd. 18, S. 34).

Uraufführung

Am 24. Dezember 1771 schreibt Lessing an den Verleger Voß in der Endphase der Niederschrift der *Emilia Galotti*, er wolle das Trauerspiel »auf den Geburthstag unsrer Herzogin, welches der 10te März ist, von Döbblinen hier zum erstenmale aufführen« lassen (LM, Bd. 17, S. 422). Er überlasse dabei das Stück dem Theaterprinzipal Karl Theophilus Döbbelin (1727–1793) nicht aus Gefälligkeit zur Aufführung, »sondern der Herzoginn, die mich, so oft sie mich noch gesehen, um eine neue Tragödie gequält hat« (LM, Bd. 17, S. 422). Weiter bittet Lessing den Verleger, dafür zu sorgen, dass *Emilia Galotti* tatsächlich in Braunschweig und nicht in Berlin uraufgeführt werde, obwohl er aus seinen künstlerischen Vorbehalten gegenüber Döbbelin, der erst seit November 1771 das Braunschweiger Hoftheater leitete, keinen Hehl machte und sich am 25. Januar 1772 bei Voß über dessen »ewige und unendliche Windbeuteley« beklagte (LM, Bd. 18, S. 12). Wäre *Emilia Galotti* nicht in Braunschweig zuerst gezeigt worden, hätte die als ›Kompliment‹ gedachte Aufführung ihren Wert verloren (Mauser, 1990, S. 179). Da der Uraufführungstermin – es war schließlich der 13. März 1772 – schon früh feststand und Anfang März 1772 das Trauerspiel erst bis zum vierten Aufzug ausgedruckt war, musste Lessing bei seiner Bitte um die offizielle Aufführungserlaubnis beim Braunschweiger Landesherrn improvisieren. Indirekt legte er dem Herzog Karl I. von Braunschweig (1713–1780) sogar nahe, die Erlaubnis nicht zu erteilen, zumal er sich fragte, ob ein Trauerspiel überhaupt für eine Geburtstagsfeier angemessen sei. Vielleicht war dies auch nur ein Vorwand, denn in seinem Brief von Anfang März 1772 hatte Lessing den Herzog über den Inhalt der *Emilia Galotti* – er schreibt, es handle sich um »weiter nichts als die alte Römische Geschichte der Virginia in einer modernen Einkleidung« – weitgehend im unklaren gelassen und ihn schon gar nicht über den brisanten Schluss mitsamt seiner Fürstenkritik in Kenntnis gesetzt (LM, Bd. 18, S. 23). Der Herzog willigte ohne Vorbehalte in die Aufführung ein. Döbbelin – der *Emilia Galotti* bis zu diesem Zeitpunkt auch noch nicht vollständig kannte, weil Lessing ihm den gesamten Text vermutlich absichtlich vorenthielt – bekam nun den Schluss des Trauerspiels und konnte die Proben endlich abschließen. Lessing hatte offenbar nicht nur an den Proben teilgenommen, sondern er soll auch bei der Besetzung der Schauspieler mitgewirkt haben. Johann Joachim Eschenburg (1743–1820) berichtet am 1. April 1772 in der *Hamburgischen Neuen Zeitung* weiter, dass »bey zweifelhaften Fällen die eigentliche Deklamation von ihm selbst zu hören« war (zit. nach: HKA, S. 440). Lessings Bruder Karl äußert sich später über die wohl eher schwierigen Umstände im Vorfeld der Aufführung: »Der Tag dazu kam immer näher, und Döbbelin hatte noch nicht die letzten Scenen dieses Trauerspiels, welches in Berlin gedruckt wurde. Lessing hätte sie vielleicht auch nicht so bald gemacht, Döbbelin aber drohete, sie aus seinem Kopfe hinzuzufügen; und das wirkte so viel, daß Lessing zeitig genug vollendete, um schon am Tage der Vorstellung davon […] der verwittweten Herzogin überreichen zu lassen« (*Lessings Leben*, Th. 1, S. 332, Anm.).

Die Uraufführung fand wie geplant am Braunschweiger Hoftheater am Hagenmarkt statt. Die Reaktion des Publikums war positiv, wenn auch überrascht vom kühlen Ton des Trauerspiels, der entweder erschüttert oder distanziert. Auch die Leistung der Schauspieler war – entgegen Lessings anfänglicher Befürchtung – zufriedenstellend (vgl. HKA, S. 247–250). Lessings Freund Johann Arnold Ebert schreibt am 14. März 1772: »Aber die Schauspieler haben fast alle mit einander meine Erwartung weit übertroffen« (LM, Bd. 20, S. 151). Weder die Herzogin Philippine Charlotte (1716–1801), zu deren Geburtstag die Aufführung stattfand, noch Lessing, der an »rasenden Zahnschmerzen« litt (Brief an Eva König, 15. März 1772; LM, Bd. 18, S. 24), nahmen an der Aufführung teil; nur der Erbprinz Karl Wilhelm Ferdinand von Braunschweig (1735–1806) war inkognito anwesend. Lessing besuchte auch keine der Wiederholungen und sah sein Stück erst Jahre später am 19. April 1775 in Wien.

Am 6. April 1772 brachte die Koch'sche Theatertruppe das Trauerspiel in Berlin auf die Bühne (vgl. HKA, S. 251–261); weitere Aufführungen folgten im Verlauf des Jahres 1772 in Danzig, Graz, Hamburg, Königsberg, Leipzig, Pressburg, Schleswig, Weimar und Wien (vgl.

HKA, S. 718–765; Schulz, 1977, S. 174–178). Im Vergleich mit dem Lustspiel *Minna von Barnhelm* war *Emilia Galotti* kein so durchschlagender Bühnenerfolg, obwohl die öffentlichen Reaktionen insgesamt freundlich und nur dann geteilt waren, wenn die Leistung der Schauspieler oder die Qualität der Inszenierung bewertet wurden. Dabei ist zu berücksichtigen, dass Theaterkritiker naturgemäß besondere Vorlieben unter den Theatertruppen hatten und diese dann zum Maßstab ihrer Kritik machten.

Obwohl Lessing wiederum an der Qualität der Schauspieler zweifelte, war die Berliner Aufführung ebenfalls ein Erfolg. Die Leistung der Schauspieler übertraf die Erwartungen, wie Friedrich Nicolai am 7. April und der Bruder Karl am 11. April 1772 übereinstimmend nach Wolfenbüttel berichteten (LM, Bd. 20, S. 157–164). Trotzdem wurde *Emilia Galotti* in Berlin nur dreimal aufgeführt, das Publikum erwärmte sich inzwischen mehr für die viel populärere komische Oper als für Trauerspiele, was Johann Wilhelm Ludwig Gleim (1719–1803) in einem Brief vom 7. Juni 1772 an Johann Benjamin Michaelis (1746–1772) zum Anlass für eine Klage über den Geschmack des Berliner Publikums nahm: »Die Comischen Opern sind warlich der Verderb des guten Geschmacks. Auf allen Straßen, vom Minister und vom Diener hört man Hillers [Johann Adam Hiller, 1728–1804] Arien singen! Und kaum kan nur Emilia Galotti sich Beyfall erwerben. Man spielte sie, mir zu Gefallen, und es waren nur die Helfte der Zuhörer, die in der *Jagd* waren!« (Albrecht, 2003, Tl. 1, S. 217). Am Ende sollte doch der Prediger Eberhard recht behalten mit seinem bereits erwähnten und durch Nicolai überlieferten Ausspruch: »die Emilia ist ein Rock auf den Zuwachs gemacht, in den das Publicum noch hinein wachsen muß« (LM, Bd. 20, S. 157).

Literatur

Text- und Quellenausgaben

Goethes Werke. Hrsg. im Auftrage der Großherzogin Sophie von Sachsen. 133 Bde. in 143. Weimar 1887–1919. [Zit. als: WA.]

Lessing, Gotthold Ephraim: Emilia Galotti. Ein Trauerspiel, in fünf Aufzügen. [Faksimile. Hrsg. vom Verein der Freunde der Staatsbibliothek.] Berlin 1929.

Lessing, Gotthold Ephraim: Emilia Galotti. Ein Trauerspiel in fünf Aufzügen. Historisch-kritische Ausgabe. Hrsg. von Elke Monika Bauer. Tübingen 2004. (Gotthold Ephraim Lessing. Werke in Einzelausgaben). [Zit. als: HKA.]

Gotthold Ephraim Lessings sämtliche Schriften. Hrsg. von Karl Lachmann. Dritte auf's neue durchges. und verm. Aufl. bes. durch Franz Muncker. 23 Bde. Stuttgart/Leipzig/Berlin 1886–1924. – Reprogr. Nachdr. Berlin / New York 1979. [Zit. als: LM.]

Lessing, Gotthold Ephraim: Werke und Briefe in zwölf Bänden. Hrsg. von Wilfried Barner zusammen mit Klaus Bohnen, Gunter E. Grimm, Helmuth Kiesel, Arno Schilson, Jürgen Stenzel und Conrad Wiedemann. Frankfurt a. M. 1985–2003. [Zit. als: Lessing, *Werke und Briefe.*]

Albrecht, Wolfgang: Lessing im Spiegel zeitgenössischer Briefe. Ein kommentiertes Lese- und Studienwerk. 2 Tle. Kamenz 2003.

Schlegel, Friedrich: Kritische Friedrich-Schlegel-Ausgabe. Hrsg. von Ernst Beutler unter Mitw. von Jean-Jacques Anstett und Hans Eichner. München/Paderborn/Wien 1958 ff. [Zit. als: *Schlegel-Ausgabe.*]

Forschungsliteratur

Albrecht, Wolfgang: Gotthold Ephraim Lessing. Stuttgart/Weimar 1997.

– Lessing-Editionen. In: Editionen zu deutschsprachigen Autoren als Spiegel der Editionsgeschichte. Hrsg. von Rüdiger Nutt-Kofoth und Bodo Plachta. Tübingen 2005. (Bausteine zur Geschichte der Edition. 2.) S. 315–327.

Bauer, Elke: »Der Buchdruckerjunge aber klopfte und verlangte Manuscript«. Lessings Arbeitsweise und ihre mögliche Konsequenz für eine historisch-kritische Ausgabe. In: Autoren und Redaktoren als Editoren. [...] Hrsg. von Jochen Golz und Manfred Koltes. Tübingen 2008. (Beihefte zu editio. 29.) S. 130–143.

Brenner, Peter J.: Gotthold Ephraim Lessing. Stuttgart 2000.

Dane, Gesa: Erläuterungen und Dokumente. Gotthold Ephraim Lessing. Emilia Galotti. Stuttgart 2009. (Reclams Universal-Bibliothek. 16031.)

Fick, Monika: Lessing-Handbuch. Leben – Werk – Wirkung. 2., durchges. und erg. Aufl. Stuttgart/Weimar 2004.

Gotthold Ephraim Lessings Leben, nebst seinem noch übrigen litterarischen Nachlasse. Hrsg. von K[arl] G[otthelf] Lessing. 3 Thle. Berlin 1793–95.

Mauser, Wolfram: »Ich stehe für nichts«. Zur Uraufführung von G. E. Lessings *Emilia Galotti* am Hoftheater zu Braunschweig. In: 300 Jahre Theater in Braunschweig 1690–1990. In Zsarb. mit den beteiligten Museen hrsg. von der Stadt Braunschweig. Braunschweig 1990. S. 177–194.

Nisbet, Hugh Barr: Lessing. Eine Biographie. Aus dem Engl. übers. von Karl S. Guthke. München 2008.

Schultz, H. Stefan: The Unknown Manuscript of »Emilia Galotti« and Other Lessingiana. In: Modern Philology 47 (1949) S. 88–97.

Schulz, Ursula: Lessing auf der Bühne. Chronik der Theateraufführungen 1748–1789. Bremen/Wolfenbüttel 1977.

Seifert, Siegfried (Bearb.): Lessing-Bibliographie. Berlin/Weimar 1973.

Steinmetz, Horst: Emilia Galotti. In: Interpretationen. Lessings Dramen. Stuttgart 1994. (Reclams Universal-Bibliothek. 8411.) S. 87–137.

Ter-Nedden, Gisbert: Lessings Trauerspiele. Der Ursprung des modernen Dramas aus dem Geist der Kritik. Stuttgart 1986.

Inhalt